SINGER

BIBLIOTECA DE COSTURA MR

Más costura para el hogar

LIMUSA
GRUPO NORIEGA EDITORES
México • España • Venezuela • Argentina
Colombia • Puerto Rico

BIBLIOTECA DE COSTURA MR

Más costura para el hogar

CONTENIDO

Cómo empezar 9

Cómo coser siguiendo un plan ... 10
Consulte a un decorador o diseñador 13
Cómo crear un ambiente 14
Selección de telas 16
Cuidado de las telas 19
Cómo combinar los dibujos de diferentes telas 20
Cenefas, listados y telas anchas 22

Decoración de ventanas 25

Cómo medir las ventanas 26
Cortineros y accesorios 28
Cómo casar dibujos 30
Costuras y dobladillos 32
Cortinas con pliegues triples 34
Arreglo final de las cortinas 40
Abrazaderas 41
Cortinas sujetadas al centro 44
Persianas enrollables al frente 46
Cortinas con forma de manga de obispo 49
Cortinas con aletilla triangular 50
Galerías 53
Galería abullonada .. 54
Galería con abullonado doble ... 55
Galería aglobada ... 56
Galería estilo austriaco 58
Galería en disminución 60
Festones y guarniciones drapeadas 62
Cenefas acolchadas . 67

Versión autorizada en español de la obra publicada en inglés por Cy DeCosse Incorporated con el título de MORE SEWING FOR THE HOME

ISBN 0-86573-271-X (pasta dura, versión en español para EE.UU.)
Distributed in the U.S. and Canada by Cy DeCosse Incorporated.
5900 Green Oak Drive, Minnetonka, MN 55343, U.S.A.

CY DECOSSE INCORPORATED
Director: Cy DeCosse
Presidente: James B. Maus
Vicepresidente ejecutivo: William B. Jones

MORE SEWING FOR THE HOME
Extending the Life of your Clothes
Elaboración: Departamento Editorial de *Cy DeCosse Incorporated,* en colaboración con el *Singer Education Department.* Singer es marca registrada de la Compañía Singer y se está usando con su autorización.

La cama y el baño 71

Qué coser para la recámara y el cuarto de baño 72
Qué hacer con sábanas 73
Fundas para edredones 74
Guardapolvo con pliegues cosidos 78
Funda para almohadón con pliegues cosidos .. 81
Funda para edredón hecha con sábanas ... 82
Sobrecama con cubre-almohada simulado .. 85
Guardapolvo y sobrecama con bastas para sofá-cama 86
Cabecera acojinada ... 91
Cortinas para baño ... 94
Faldones para lavabo y tocador 99
Adornos para toallas 100

Toques finales 103

Realce con pasamanería 105
Rosetones de tela ... 109
Ribetes acordonados decorativos 110
Almohadones de cajón con ribetes acordonados 114
Carpeta con ondas abullonadas 119
Persianas verticales con inserciones de tela 120
Biombos de tela 122
Tapicería de paredes 124

Versión en español:
HERENIA ANTILLÓN ALMAZÁN

GRUPO NORIEGA EDITORES
Balderas 95, C.P. 06040, México, D.F.
Teléfono 521-50-98
Fax 512-29-03

Miembro de la Cámara Nacional de la Industria Editorial Mexicana. Registro número 121

Primera edición: 1992
(7925)

ISBN 968-18-4318-5
ISBN 968-18-4321-5 (serie completa)

Esta obra se terminó de imprimir en agosto de 1992 en los talleres de R.R. Donnelley & Sons Company Book Group 1145 Conwell Avenue Willard, Ohio, USA 44888-0002

La edición consta de 20,000 ejemplares más sobrantes para reposición

Cómo usar este libro

Este interesante volumen aumenta sus habilidades para la decoración, ya que le proporciona una útil guía para planificar y coordinar sus proyectos de decoración. Usted puede utilizar las diferentes ideas de esta obra ya sea en forma aislada para realzar la decoración actual de su hogar, o bien, para coordinar telas y unificar el aspecto general de su casa.

Esta obra está dividida en cuatro secciones principales. Primero se comienza con un plan básico, tal como lo hace un decorador profesional. En la segunda sección se ve la decoración de ventanas, con ideas para todas las habitaciones de la casa. La recámara y el cuarto de baño tienen necesidades muy específicas en cuanto a decoración, de modo que a estas habitaciones se les dedica una sección especial. En la parte final se presentan algunas técnicas que se pueden aplicar de un proyecto a otro, así como algunas ideas para el uso de accesorios que agregan ese toque tan especial.

Inicie con un plan

En la primera sección se muestran los pasos que debe seguir para establecer un plan para la decoración del hogar, se ofrecen guías para la decoración y sugerencias de los decoradores profesionales para ayudarle en su plan. Ya sea que su proyecto consista en un detalle sencillo, que decore de nuevo una habitación o que decore por primera vez su hogar, usted deseará tener siempre presente un plan de decoración preconcebido.

Para que logre el estilo o efecto que usted desea en cada habitación, la invitamos a que se deje llevar por su gusto personal al seleccionar las telas y accesorios que coserá. La costura será un placer para usted al crear un ambiente sobrio, acogedor, especial, alegre o cualquier otro estilo que le parezca adecuado para una habitación. Lleve un cuaderno para sus notas de decoración y coleccione muestras de telas, tapices y accesorios que combinen con sus compras. Aprenda todo lo que pueda acerca de telas: cómo combinar estampados y colores, cómo seleccionar las fibras y acabados adecuados para su proyecto, y también cómo limpiar y cuidar los artículos creados.

Las ventanas primero

Cuando piense hacer algo para su casa, una de las primeras cosas que debe tener en cuenta es la decoración de las ventanas. Puesto que las cortinas y visillos a la medida siempre son los favoritos, tal vez lo más importante que debe anotar en su cuaderno sean las medidas de las ventanas. En las instrucciones de esta sección se ofrecen las técnicas profesionales de taller para hacerlo. Seleccione sus cortinas de entre las plegadas, de manga de obispo, las atadas al centro, enrollables al frente y las que tienen una aletilla triangular. La decoración que seleccione para sus ventanas será el detalle más importante para el ambiente general de la habitación, ya sea desde lo clásico hasta lo contemporáneo.

Los modernos y prácticos artículos para ventanas, como son persianas verticales y de otro tipo, pueden tener un aspecto más delicado con una cenefa acolchonada o una galería. Las galerías forradas se combinan con visillos o cortinas, pero resultan igualmente adecuadas con persianas o celosías. Se puede colocar una galería suave, como abullonado sencillo o doble, o en combinación con otra decoración de la ventana. Las galerías en disminución pueden ser suaves o formales, así como los festones y adornos laterales. Las galerías y guarniciones drapeadas lograron imponerse como un estilo tradicional, aunque las versiones actuales son más informales y casuales.

El resto de la casa

Por lo general, la recámara y el cuarto de baño se decoran de manera que combinen entre sí. Puede coser una funda para edredón como guardapolvo y ponerle fundas coordinadas a las almohadas, luego combinar estas prendas con las cortinas del baño, los adornos de las toallas y un faldón para el tocador o lavabo. Las cabeceras pueden tener un acabado sensacional, pero con las instrucciones que se le ofrecen en este libro no resultan tan difíciles como parecen.

Los cordones, pasamanería y holanes le dan un toque profesional a lo que se cose, de modo que le indicamos cómo aplicarlos a sus labores. Los almohadones de cajón son un accesorio ideal en la decoración y las instrucciones que se proporcionan, si se siguen paso a paso, le sirven para hacer una nueva almohada o cojín, cubrir de nuevo una silla, sofá o banca. Los biombos de tela, las persianas verticales con inserciones de tela y las paredes acojinadas requieren poca costura, ¡y vaya que coordinan el plan de decoración en una habitación!

Proyectos para confeccionar

Al comenzar cada proyecto, se presenta un resumen general seguido de las instrucciones de corte. Para una rápida referencia, las telas y artículos de mercería necesarios para terminar la labor se incluyen en un recuadro titulado "Materiales necesarios". En la mayor parte de los casos debe hacer ciertos cálculos para determinar cuánta tela necesita, así que consulte las instrucciones sobre cómo cortar a fin de calcular la tela que necesitará. Cuando se conoce el ancho de la tela que va a usar, se puede calcular adecuadamente cuánta tela se debe comprar.

Las instrucciones que se proporcionan son completas: no necesita comprar patrones adicionales. Las fotografías a color que acompañan dichas instrucciones le muestran cómo debe verse su labor a cada paso de su confección. En algunos casos se utilizan hilos contrastantes para que la técnica de cosido aparezca con toda claridad en la fotografía. No obstante, usted deseará emplear hilo del mismo color al confeccionar sus propias labores.

En este volumen le mostramos paso a paso, labor tras labor, la forma de lograr su proyecto de decoración. Con ayuda de las guías y técnicas, usted puede convertir sus ideas de decoración en atractivos estilos para su hogar.

Cómo coser siguiendo un plan

Usted es la decoradora cuando cose para su hogar. La perspectiva puede ser tan abrumadora como el planificar y coordinar la decoración de las ventanas, almohadones y todos los accesorios para un nuevo hogar, o tan sencilla como escoger una tela para las cortinas de la cocina. Sin embargo, es frecuente que el simple proyecto de costura se convierta en sólo el principio de un plan para renovar o actualizar toda un área de la casa.

Empiece por contemplar lo que necesita decorar y sus proyectos de costura en cada cuarto. Generalmente un hogar se ve más agradable y grande cuando los colores y dibujos fluyen con facilidad de una habitación a otra. Los colores y dibujos deben estar relacionados, aunque pueden ramificarse en diferentes patrones de color y ambientes. Diseñe un plan para su proyecto de costura que constituya un todo, pero trabaje paso a paso en él. Cualquier proyecto parece más pequeño cuando se le divide en partes más pequeñas.

Dónde comenzar

La mayoría de los diseñadores comienzan con un esquema de colores y la orientación de éstos desde las primeras habitaciones al entrar en una casa. La entrada y la sala, por lo general, constituyen estos puntos focales. Si el comedor forma una unidad con la sala, considere la entrada, sala y comedor como una unidad al estudiar colores y ambientes.

Puede pasar del comedor a la segunda área, la cocina y cuarto de estar, y en algunas ocasiones un cuarto para actividades y

un baño contiguo. Estas habitaciones pueden coordinarse con aspectos o ambientes diferentes, aunque los colores y telas que se utilicen deben ser compatibles con los colores seleccionados para la sala y comedor. Si la cocina está contigua a estas áreas del hogar, también debe armonizar.

La tercer área, la alcoba principal y el baño, constituyen otro espacio específico con un ambiente particular. Los dormitorios son áreas personales que se prestan más para telas y colores que reflejen su personalidad, gustos e intereses. El resto de las habitaciones y baños para los niños o invitados puede ser de otro color y diferentes tipos de telas. Un cuarto de huéspedes también puede funcionar como cuarto de costura, estudio o cuarto de estar.

Anotaciones

Una parte importante del plan de costura es una carpeta de notas que tenga separadores de mica transparente en dónde poder coleccionar muestras y recortes. Divídala en las cuatro áreas generales del hogar, dejando suficientes páginas entre una y otra sección para toda la información que acumulará para cada habitación. Recorte fotos y llene su carpeta con imágenes de lo que le agradaría. Busque mezclas de telas y colores y aplicaciones de texturas y adornos. Mientras más sugerencias tenga para cada habitación, será mejor.

Conserve las medidas de las ventanas, los planes para cada habitación, fotografías y recortes de revistas para cada habitación que tenga en esta carpeta, así como los números telefónicos de proveedores importantes. Para transportar las muestras pesadas y voluminosas, puede utilizar una bolsa de asas.

De dónde tomar ideas

Para inspirarse, coleccione hojas de revistas de las habitaciones que le agraden. Algunos estilos clásicos se ven bien año tras año. Con frecuencia el detalle de la pasamanería, los colores y las telas son los que actualizan el mobiliario de un hogar.

Muchos diseñadores tienen colecciones de revistas de diseño y folletos comerciales que también le proporcionarán ideas para su decoración. En las mueblerías, las habitaciones muestra y en los catálogos hay fotos de decoración de ventanas, almohadones y accesorios que usted misma puede coser. En la mayoría de las ciudades importantes hay casas muestra en donde se presenta lo más novedoso en tendencias de decoración. Los muestrarios de tapices para paredes también son fuentes de inspiración para lo que desee decorar, ya que muestran ideas para combinar los estampados de las telas y el uso de orillas y cenefas.

Consulte a un decorador o diseñador

Aunque usted misma sea quien planee y cosa para su hogar, también puede contratar los servicios de un diseñador o un decorador para que le ayude a decidir en cuanto a telas y decoración.

Las tiendas que venden telas al menudeo, especializadas en telas para decoración, cuentan por lo general con un *decorador* o *consejero en decoración* que la ayudará a seleccionar las telas adecuadas, así como la pasamanería y accesorios adecuados para la confección. Esta persona también le ayudará a escoger las telas que combinan bien, calcular la cantidad de tela que necesitará y aconsejarle sobre las técnicas de costura adecuadas para la tela.

Un *diseñador* está capacitado para hacer algo más que combinar colores y dibujos. Los diseñadores resuelven problemas al trabajar con la línea, forma, color, textura, tendencia, dibujo y unidad, así como la composición dentro de una habitación o casa.

Con la ayuda de un diseñador usted puede tener una mayor selección de telas de lo que simplemente se ofrece en un almacén que venda al menudeo, ya que los decoradores tienen acceso a las colecciones de telas utilizadas por los profesionales. Por lo general, cobran por sus servicios únicamente cuando las compras no se hacen con sus proveedores. Con frecuencia comprenden perfectamente que una persona desee coser por sí misma todo su proyecto, ya que ellos mismos confeccionan su decoración, aunque tal vez no la puedan orientar respecto a problemas de costura.

Diversos aspectos del diseño

Línea. Además de las líneas que origina el mobiliario, tenga presente todas las líneas en una habitación, tales como las molduras y vigas, travesaños de las sillas y el piso. Al seleccionar la decoración para una ventana, utilice una varilla sencilla para cortinero si es que una varilla de decorador agrega demasiadas líneas a una habitación.

Color. No olvide los tonos de la madera y el color de los ladrillos de la chimenea al seleccionar los colores de las telas y alfombras que combinará en una habitación.

Textura. Por lo general, las telas muy adornadas y las telas simples tienen texturas contrastantes. Los terciopelos y las texturas ásperas y nudosas no combinan dentro de una misma habitación. La textura pesada de los tartanes para decoración no armoniza con la decoración de los visillos abullonados, transparentes y sedosos.

Dibujo. Cuantos más dibujos tenga en una habitación, se sentirá más tradicional y campesina. Si hay muchos dibujos en una habitación éstos pueden armonizar, pero a la larga las telas más sencillas y formales pueden resultar más agradables.

Orientación. El enfoque u orientación en una habitación puede indicarse por la pared de una chimenea, una obra de arte, la vista que se tenga, o el área de conversación. Utilice la tela y el color para que le ayuden a enfocar o coordinar el área.

Unidad y composición. Una habitación que se vea "integrada", da una sensación de unidad y composición. Con frecuencia, resulta al mezclar con éxito lo viejo con lo nuevo. Este estilo, llamado *ecléctico,* es el más difícil de lograr debido a que existen muy pocas reglas. Como ejemplo, para que una habitación resulte más interesante puede utilizar telas contemporáneas y colores que armonicen, en combinación con antigüedades tradicionales y mobiliario rústico.

SUGERENCIAS DEL DISEÑADOR

Actualice una habitación con un costo mínimo repitiendo una tela nueva dos o tres veces, por ejemplo en una galería, cortinas sostenidas con abrazaderas y almohadones.
Agregue interés rápida y fácilmente con dos telas novedosas para un nuevo forro de cojines para las sillas, una banca, un asiento en el hueco de una ventana o la carpeta de una mesa.
Combine los dibujos y los estilos del mobiliario. Las telas actuales resultan agradables al cubrir el mobiliario tradicional, así como las telas tradicionales quedan bien con los estilos modernos de decoración para las ventanas, tales como las minipersianas y las celosías de hojas movibles.
Cambie la tela si el cuarto se siente pesado en lugar de ligero y ventilado. Evite el empleo de demasiadas telas con estampados pequeños del mismo tamaño en una sola habitación.
Dé calor a una habitación sencilla y conservadora con un toque de color. Confeccione almohadones nuevos o agregue paneles laterales o galerías a los cortinajes tradicionales.

Cómo crear un ambiente

Haga una lista de cinco palabras que usted y su familia utilizarían para describir el resultado que desea lograr con su decoración. Estas palabras evocarán diferentes sensaciones sobre el color, dibujos de telas y textura, así como diseño y tamaño de los muebles. Para una estancia o cocina, tal vez piense en algo luminoso, brillante, limpio, alegre y nítido, o en algo cálido, acogedor, colorido y tradicional.

Para la estancia puede resultar adecuado lo elegante, cómodo o tradicional. Las palabras sobrio, masculino y rústico pueden ser para una biblioteca, cuarto de estar o cuarto de baño. Los términos contemporáneo, limpio, amplio y dramático podrían definir una alcoba; aunque para alguien más el ambiente de una alcoba podría ser romántico, suave, mullido, femenino y cómodo.

En la foto que aparece arriba, los tonos beige, dorado y rosa sugieren elegancia. Las telas con brillo ligero acentúan las rayas en inglete sobre los almohadones, la galería estilo austriaco suavemente plegada y el rosetón de tela. Al cambiar simplemente un color o tela, se modifica el ambiente de una habitación, creando un efecto totalmente diferente en la decoración. Utilice la tabla de la página opuesta para tener una idea de cómo empezar sus propias ideas para la decoración.

Principios de la decoración

Efecto general	Colores sugeridos	Telas y texturas	Artículo para confeccionar
Elegante, especial o refinado	Colores refinados: malva, gris oscuro, dorado, metálico, crudo	Telas con brillo o con lustre: sedas, algodones finos, satines tipo antiguo, moarés, pasamanería de rayón	Almohadones con ingletes (páginas 14, 23), festones o guarniciones drapeadas (páginas 52, 62), galerías estilo austriaco (páginas 58), rosetones de tela (página 109)
Cómodo, casual	Colores del otoño: color canela, rojizo, dorado	Texturas tersas o ligeramente irregulares, sin ser ásperas: algodones pulidos, calicó lustroso, satines con urdimbre, tela para visillos	Cojines estilo turco (página 23), galerías aglobadas (página 56), almohadones con inglete (página 110).
Acogedor, tranquilizante	Tonalidades suaves o medias: azul, malva, verde	Telas con acojinados suaves o ligeramente acolchadas, estampados atractivos, telas para sábanas, satines con urdimbre, calicó lustroso	Edredones de pluma (página 74), holanes guardapolvo plegados y fundas para almohadas (páginas 78, 80), cubiertas para sofá-cama (página 86), cabeceras acolchonadas (página 90)
Práctico	Tonalidades medias multicoloridas: rojo, azul, naranja	Telas lavables o resistentes a manchas, telas con estampados en toda la superficie: telas para sábanas, mezclas de algodón	Galerías en disminución (página 60), fundas para edredones hechas con sábanas (página 82), persianas verticales con inserciones de tela (página 120), biombos de tela (página 122)
Conservador, limpio y pulcro, ordenado, refrescante	Colores ligeros, tonos cálidos: blanco, malva, durazno, crudo, maíz	Telas con diseños tejidos, texturas nudosas, estampados, linos transparentes, algodones, telas para visillos	Cortinajes con pliegues cosidos (página 34), cortinas sujetadas al centro (página 44), galerías forradas (página 66), sobrecamas con fundas simuladas (página 84)
Sobrio, masculino	Tonos terrosos, colores ricos: óxido y café, azul y verde intensos	Geométricas, tartanes, rayas: telas de tapicería, tapices	Almohadones con ingletes (páginas 14, 23), fundas con pestañas con cenefa (página 22), persianas enrollables al frente (página 46), cortinas con aletilla triangular (página 50), almohadones de cajón (página 114)
Alegre	Colores claros y brillantes: rosado, amarillo, verde, durazno, marfil	Telas con colores contrastantes, en estampados florales y con rayas: estampados en algodón para decoración, satines con urdimbre	Cortinas con aletilla triangular (página 50), galerías aglobadas (página 56), sobrecamas con fundas reversibles simuladas (página 84), cortinas para regadera (página 94), biombos con forro de tela (página 122)
Romántico	Colores frescos: rosa, azul, verde, durazno y marfil pastel	Telas con tacto suave: sedas, algodones pulidos, satines, telas florales, estampados con colores pastel, encajes, tiras bordadas	Galerías abullonadas (páginas 54, 55), fundas con holanes para los edredones (páginas 76, 77), fundas para edredones hechas con sábanas (página 90), cortinas para baño con abrazaderas (página 94), rosetones de tela (página 109)
Contemporáneo	Tonos neutrales: beige, gris, marfil, crema	Telas texturizadas o suaves: diseños simples, telas lisas, telas para visillos	Persianas enrollables al frente (página 46), cortinas con aletilla triangular (página 50), galerías forradas (página 66), fundas para edredones con cordón en el ribete (página 74), almohadones con cordón (página 110), persianas verticales con inserciones de tela (página 120)
Tradicional, clásico	Colores conservadores: verde, blanco, azul, borgoña	Telas que no pasan de moda: satines tipo antiguo, telas tejidas, telas para forro de colchones, linos, terciopelos	Cortinas con pliegues triples (página 34), cortinas sujetadas al centro (página 44), festones y guarniciones drapeadas (páginas 52, 62), almohadones de cajón (página 114)

Selección de telas

El uso de telas de buena calidad da buenos resultados en los proyectos de decoración para el hogar. Una buena tela de decoración dura más y por lo general proporciona un aspecto de acabado más fino. Algunas de las telas para decoración del hogar más populares se muestran en esta página y en las siguientes, con el fin de ayudarla en su selección.

Como regla, mientras más apretada sea la trama o mayor sea el conteo de hilos (número de hilos por pulgada), más fuerte será la tela. La mayoría de las telas de decoración tiene mayor número de hilos por pulgada que las telas de vestir.

Muchas telas de decoración tienen un acabado resistente a las manchas. Para probarlas, deje caer una pequeña cantidad de agua en la muestra. Si el agua forma esferas en lugar de que la absorba la tela, ésta repele las manchas. Esta característica resulta más importante para almohadones, cojines, fundas y tapicería que para la decoración de ventanas. Asegúrese también de que los tintes no se desprenden al manejar o frotar la tela con los dedos.

Tenga presente el uso final y asegúrese de que la tela es adecuada para ello. Una galería para una cortina, por ejemplo, no se usa mucho y al seleccionar un estilo sencillo podrá cambiarlo fácilmente para actualizar el aspecto. Para este fin la tela no tendrá el uso pesado que tiene el cojín de una silla, ni se utilizará tanto como la cortina promedio. Recuerde que la cortina promedio puede permanecer en una habitación de ocho a quince años.

Al comparar costos para grandes cantidades de tela, tenga presente que los estampados pueden costar más que las telas lisas, ya que necesitará más tela para casar los motivos. Mientras más grandes sean éstos, es más probable que desperdicie tela al casarlos.

Los tejidos ligeros con trama abierta se utilizan frecuentemente para la decoración de ventanas ya que dejan que pase la luz del sol, ofreciendo más privacía que las ventanas sin cortinas. Las telas para visillos (**1**) tienen la trama muy suelta, con hilos desiguales y áreas abiertas. Las variaciones en la trama forman el diseño de la tela. Se utilizan fibras de poliéster, algodón o lino. Los encajes y tiras bordadas (**2**) parecen delicados y frágiles, pero se cosen con facilidad y proporcionan un aspecto ligero y transparente. Los bordes anchos y las orillas acabadas eliminan los dobladillos. Las telas transparentes (**3**) tienen diversos contenidos de fibra, aunque frecuentemente son de poliéster, ya que así se obtiene un aspecto de claridad y transparencia. Las telas transparentes importadas tienen hasta 295 cm (118") de ancho, con dobladillos decorados o bordados.

Contenido de fibras

La fibra de algodón es básica, resistente y se utiliza en el mobiliario del hogar. Se tiñe con facilidad en colores vibrantes y proporciona gran durabilidad. También se le utiliza en mezclas con muchas otras fibras.

El lino es resistente, pero se arruga. Si esto es importante, arrugue la tela con la mano apretándola fuertemente y suéltela para ver si desaparecen las arrugas. Las telas de decoración por lo general no tienen acabados que resistan las arrugas.

El rayón y el acetato suelen usarse juntos o en mezclas que ofrezcan un aspecto rico y sedoso. El acetato estira en las cortinas y, si se moja, se mancha.

El poliéster se utiliza solo o combinado con otras fibras, lo cual le agrega estabilidad. Con todas las fibras sintéticas, utilice la plancha tibia al plancharlas.

Telas para decoración y para vestir

Las telas de decoración son más caras que las telas para vestir, pero las de vestir no reunen todas las características que usted requiere. Por lo general, las telas para vestir no reciben acabados para resistir manchas y con frecuencia tienen menos hilos por pulgada, lo cual las hace menos duraderas. Si lo que va a confeccionar va a tener poco uso y simplemente desea crear un efecto, puede usar estas telas. Algunas telas para vestir no son lo bastante pesadas para una cortina, pero pueden verse bien como visillos, galerías u holanes guardapolvo.

Si usa tela para vestir, preencójala. Si va a requerir lavado frecuente, no la cosa con materiales que no se puedan lavar, tales como bocací o forros.

Las telas básicas de peso medio son versátiles, ya que se utilizan para múltiples propósitos en la decoración de ventanas, almohadones, sobreventanas y biombos de tela. El calicó lustroso (**1**) es una tela de algodón tejida y lisa o con mezcla de algodón, con un recubrimiento lustroso. Se obtiene en colores lisos o con estampados, con frecuencia grandes, tradicionalmente florales y su tejido es muy cerrado. El satín con urdimbre (**2**) es una tela de algodón o mezcla de algodón de textura más suave que el calicó lustroso, pero se siente más pesada. Los hilillos de la urdimbre quedan en la superficie, creando una superficie lisa. Esta tela tiene usos múltiples, utilizándose en cortinajes, sobrecamas, almohadones y fundas. El satén tipo antiguo (**3**) tiene diversas calidades y contenidos de fibra. Se pliega fácilmente, tiene un peso medio que tiene un suave lustre e hilos que destacan.

La lona y el dril son telas de tejido plano en algodón o mezclas de algodón. Tienen un acabado mate, sin el brillo del calicó o el lustre del satín, por lo que dan un aspecto más casual, ya sea en telas lisas o estampadas.

Las telas para tapicería por lo general son durables y resistentes. Se obtienen en una gran variedad de texturas y en diferentes fibras, incluyendo el lino nudoso, los terciopelos de nailon con pelillos y los algodones tersos.

Vea muestras en su casa

Cuando compre telas, lleve muestras de telas de la habitación que desea decorar, tal como la cubierta para el brazo de un sofá, un cojín de una silla, muestras de la alfombra, del papel tapiz y de la pintura de las paredes. Estas muestras le ayudarán al seleccionar los recortes que llevará a casa para verlos allí. Los colores son muy difíciles de recordar sin contar con muestras para igualar colores.

Cuando esté viendo las telas en su hogar, aparte las que combinan bien con sus muestras y retire las que no. Escoja varias para llevar a casa.

A causa de la diferencia en la iluminación, la tela no se ve igual en su casa que en la tienda. La iluminación de los establecimientos es por lo general fluorescente en algunas partes o en toda la tienda, en tanto que la luz en las casas comúnmente es natural o incandescente. Para apreciar cómo se ve una tela en el ambiente doméstico, véala a la luz del día y bajo luz artificial en casa.

Al llegar a casa, ponga las muestras cerca del área en que las va a utilizar, o en el área misma. Déjelas allí por lo menos 24 horas para que decida si realmente le gustan. Si los colores acaban por disgustarle o no le agrada el dibujo, este periodo de prueba le ayudará en su segundo intento al seleccionar algo que se acerque más al efecto que desea lograr. Si en la habitación predominan los colores lisos y desea cambiar a un estampado, el cuarto tomará un aspecto de mayor actividad. Asegúrese de que las muestras de tela que lleve a casa sean lo bastante grandes para apreciar bien el dibujo y su efecto en la habitación.

Cuando trate de combinar un color liso, tenga presente que los lotes de teñido cambian de uno a otro. Si requiere que el color sea casi igual, asegúrese de que haya suficiente tela en la pieza para la labor que intenta hacer, o de que otras piezas hayan sido teñidas en el mismo lote. Cuando haga su pedido a partir de una muestra, solicite un recorte de la tela que tengan en existencia para examinarlo antes de hacer el pedido definitivo.

Cuidado de las telas

Al seleccionar telas para decorar el hogar, hay que tener presente la firmeza del color, duración y cuidado necesario. Revise las recomendaciones del fabricante para el método de limpieza. Esta información aparece impresa en el orillo o en un extremo de la pieza de tela. El vendedor también puede proporcionarle información sobre el cuidado.

Al escoger telas para cortinas, recuerde que debe considerar los posibles cambios en el largo de las cortinas después de colgarlas. No existe una tela que sea completamente estable; mientras más floja sea la trama, menos estabilidad tendrá la tela. Las tramas flojas también son más propensas a sufrir daños por calor y humedad. En los climas húmedos, el dobladillo en un cortinaje con tela que no sea muy estable tiende a subir y bajar, ondulándose más que uno cosido en una tela con trama apretada.

Si el fabricante recomienda el lavado en seco, no hay que lavar la tela. El lavado puede suavizar los cabezales y forros de bocací, encogiendo también los adornos, forros y telas de decoración, cada uno en grado diferente.

Aunque los cortinajes no se usan tanto como la tapicería y las alfombras, éstos están expuestos a decoloración por el sol y deterioro causado por el polvo, el calor y la humedad. Por lo general, las manchas de agua en las cortinas son difíciles de quitar con el lavado en seco, así que debe tratar de evitar que las manche la lluvia.

Se recomienda limpiar las cortinas, por razones de salud, después de la estación del polen, en especial si usted o alguien en la casa padece alergias. Si las cortinas se sacuden con frecuencia y se les quitan inmediatamente las manchas, requerirán limpieza profesional con menos frecuencia. El modo más efectivo de proteger sus cortinas del polvo es asegurándose de que las ventanas cierren bien, ya que el polvo y el polen que penetran en su casa del exterior quedan estancados en sus cortinas. El cambio de filtro en la calefacción, si se hace frecuentemente, también protege las telas de su hogar contra el polvo.

Para aumentar la duración de sus cortinas, páseles la aspiradora periódicamente. También puede quitarles el polvo poniendo los lienzos de las cortinas en una secadora sin calor durante unos minutos. Cerciórese de quitarles los garfios antes de meterlas en la secadora. Para evitar que se arruguen, saque los lienzos de sus cortinas de la secadora en el momento en que ésta se detenga.

También debe pasar la aspiradora en las piezas tapizadas con regularidad para impedir que el polvo se acumule en la superficie de la tela. Gire los cojines con regularidad para asegurarse de que el uso sea parejo e impedir el desgaste excesivo en los mismos lugares o la formación de bordes. Todo lo que esté tapizado debe limpiarse íntegramente.

Muchas telas de decoración tienen acabados para repeler el agua o las manchas. Si se ensucia demasiado, el área puede limpiarse con un removedor de manchas adecuado para la tela. Después de lavar la tela, conviene aplicarle de nuevo el acabado protector. Esto lo puede hacer usted misma con un producto especial que puede adquirir en el supermercado. Por lo general, los especialistas en lavado en seco aplican este acabado a las telas.

No existe una tela que sea a prueba del sol, aunque si le pone a las cortinas un forro de buena calidad evitará que la tela se decolore por el sol. Mantenga cerrados los cortinajes forrados para evitar que los tapetes y muebles tapizados se decoloren. Con el tiempo, los colores tienden a desvanecerse a pesar del cuidado que se tenga. Si esto le preocupa, existen filtros protectores ultravioleta que se aplican directamente a los cristales de las ventanas.

Cómo combinar los dibujos de diferentes telas

Existen seis categorías básicas de dibujos en las telas y en cualquier plan de decoración se pueden incluir varios en la misma habitación. Si el equilibrio de color y el tamaño y proporción de los dibujos armonizan entre sí, puede utilizar los seis dibujos principales.

SUGERENCIAS DEL DISEÑADOR

Cuatro o seis dibujos diferentes tienden a convertirse en eclécticos.

Si combina menos dibujos, dará una sensación de algo más contemporáneo.

Repita un dibujo definido por lo menos una o dos veces en la habitación. Por ejemplo, el estampado que utilice en un sofá puede repetirlo en una galería. Si ambas áreas quedan del mismo lado de la habitación, también podrá cubrir una silla, banca o almohadón del otro lado del cuarto.

Los dibujos pequeños, por serlo, tienden a ser usados en exceso. No los repita más de dos veces en el mismo espacio, incluyendo las paredes. Si va a usar dos, pueden ser de diferente tamaño o tener los colores invertidos.

Compare el decorado de una habitación con los gustos personales en el vestir. Pueden usarse juntos varios estampados, colores y texturas; pero los colores deben coordinarse atinadamente, las texturas deben combinar adecuadamente y debe existir un acento o punto de interés.

Repita más de una vez los colores que utilice como acento.

Diviértase. No tema que las telas y colores reflejen su gusto personal. Tome el tiempo necesario para descubrir sus gustos y estilo personal. Después, siga cuidadosamente el proceso paso a paso para que los que decore sea un éxito.

Las telas lisas se utilizan frecuentemente en pisos, alfombrados, tapices para paredes y decoración de ventanas.

Los dibujos geométricos, como telas con cuadros y tartanes, no se utilizan cuando se desea obtener un aspecto deportivo. Muchas telas suaves, sedosas, reciben acabados especiales y al usarlas en una sala proporcionan un ambiente casual y elegante. Cuando se usan para tapizar sillas y cojines casuales, combinan bien con otras texturas.

Los dibujos con medallones por lo general son pequeños y con frecuencia se usan para cubrir las paredes y en telas para tapizar sillas y forrar cojines.
Las telas a rayas en colores suaves se usan frecuentemente en cortinas con jareta y tapices para los vestíbulos, en tanto que las rayas más definidas se emplean en sillas y sofás.

Los estampados y dibujos florales que abarcan toda la tela, se usan con mayor facilidad en muebles grandes, como sillas y sofás, o en áreas como galerías y cortinajes.
Los estampados combinados: utilice dos o más dibujos de los mencionados y se ven mucho mejor cuando se utilizan en áreas grandes como sofás, cortinajes, galerías y cojines decorativos.

Cenefas, listados y telas anchas

Las telas con cenefas o listados anchos ofrecen muchas posibilidades para coordinar el color y el diseño en una sola habitación. Al tomar una cenefa de una tela y aplicarla a otra, o al aplicarla de un modo original, se crea una tela completamente diferente. También puede manejar en forma diagonal las telas rayadas para cambiar su aspecto, con ingletes hacia el centro, o cortándolas para formar una cenefa en una tela que combine.

Mida el largo de la cenefa que necesitará para la labor o para obtener el efecto decorativo deseado. Se pueden obtener varios metros de cenefa de unos cuantos metros de la tela rayada al cortar éstas por separado. Esto resulta más económico que comprar una tela con cenefa. Al cortar las tiras, deje una pestaña de 1.3 cm (1/2") para la costura de cada lado de la tira a fin de poder coserla.

Cómo usar las telas a lo ancho

Para eliminar las costuras, use una tela *a lo ancho.* Para hacerlo, voltéela de lado para que el ancho normal de la tela se convierta en el largo. Con frecuencia esta técnica se puede utilizar para galerías, cenefas y holanes guardapolvo y resulta especialmente práctica para los visillos cortos o visillos transparentes sin costuras en los casos en que la tela sea muy ancha.

La ventaja de confeccionar cortinas sin costuras es que no quedarán disparejas ni fruncidas por las costuras que unen lienzos. En las telas transparentes sin costuras se tiene la ventaja adicional de eliminar la sombra que produce la misma tela en las costuras. Cuando use la tela a lo ancho, por lo general requerirá menos tela y ahorrará tiempo porque no hay que hacer costuras.

Coordine los accesorios para recámara con cenefas en sábanas y fundas de almohada. Haga una cenefa con una sábana en la pestaña de una funda para almohada. También puede utilizar la cenefa para un almohadón cilíndrico para el cuello.

Utilice una cenefa o una raya para un almohadón de cajón, o como inserto en cojines estilo turco.

Acomode las rayas en inglete para que se encuentren en el centro de un almohadón.

Utilice una cenefa para coordinar las abrazaderas de las cortinas con éstas.

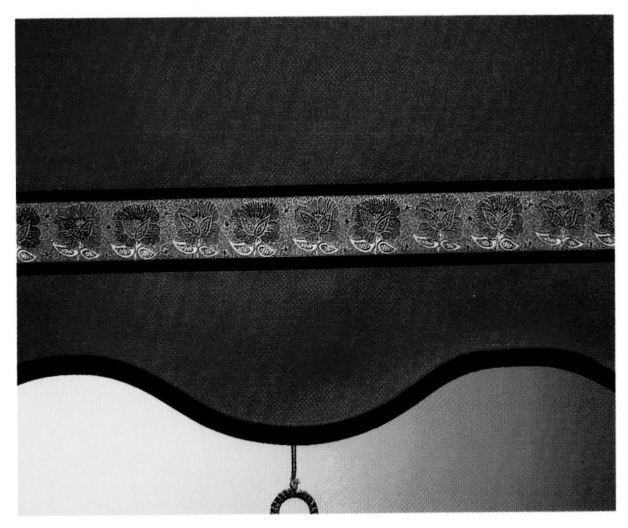

Haga una aplicación con una cenefa sobre una tela lisa para la orilla de las persianas.

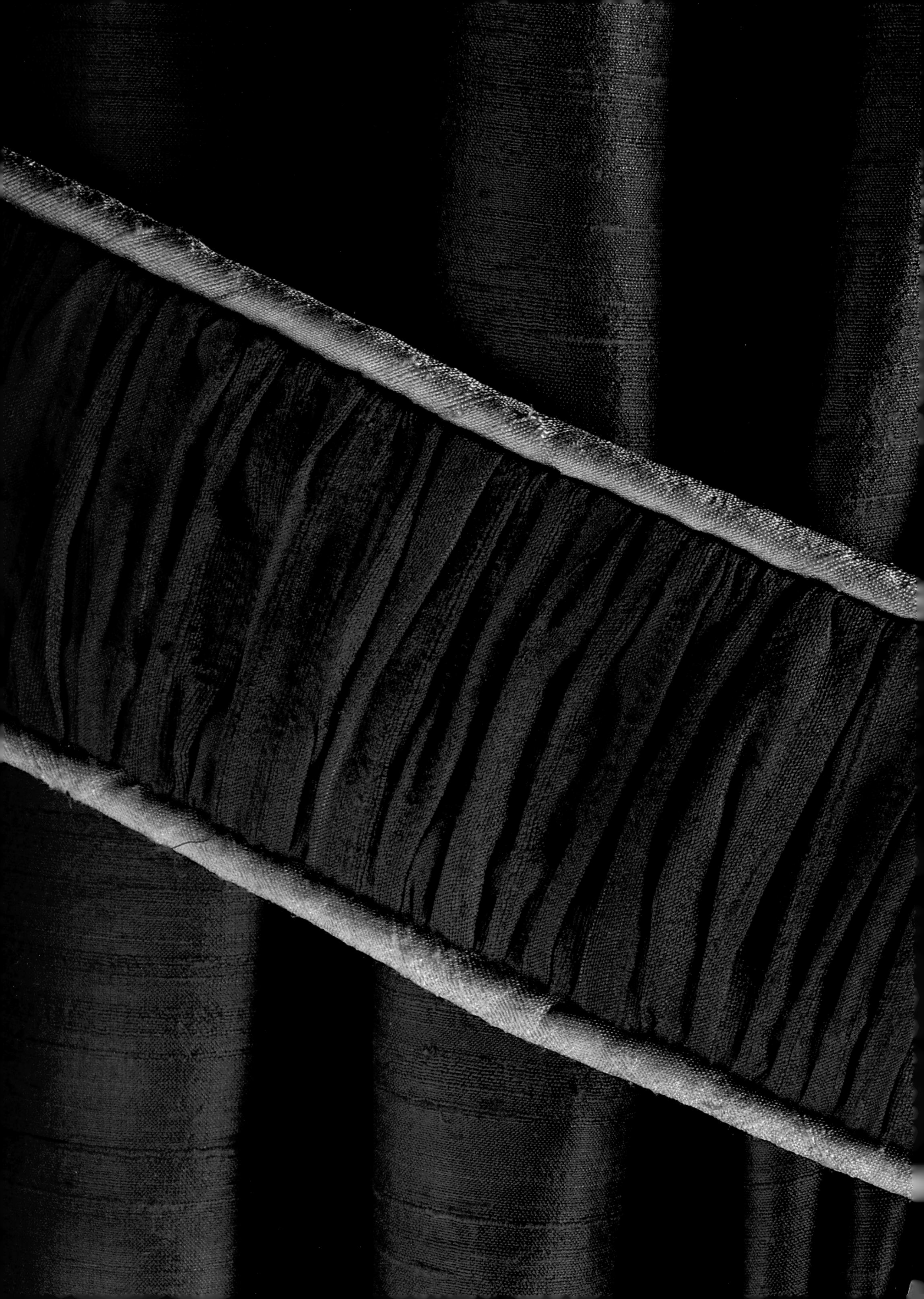

Decoración de ventanas

Cómo medir las ventanas

Después de decidir qué va a hacer con las ventanas, instale los accesorios adecuados y tome después las medidas necesarias para visillos, cortinas, persianas o galerías. Tendrá que determinar el *largo y ancho de acabado* de lo que piense poner en sus ventanas. Para conocer el *largo y ancho de corte,* agregue la medida necesaria para los dobladillos, jaretas, costuras, pliegues y lo necesario para casar dibujos. Para lograr esto, llene una copia de la tabla que se presenta a la derecha. Las medidas que se sugieren para los dobladillos de las labores que aparecen en este libro, se muestran en las instrucciones sobre cómo cortar específicas para cada proyecto. Utilícelas para calcular la cantidad de tela necesaria. Las cortinas con los pliegues cosidos requieren un tratamiento especial al medir a fin de determinar el largo y ancho, así como para calcular la cantidad de tela necesaria (página 35).

Utilice una regla plegadiza o una cinta metálica para medir, ya que las cintas de tela pueden estirarse o doblarse. Mida y apunte las medidas por separado para todas las ventanas, aunque aparentemente tengan el mismo tamaño.

Observaciones sobre las medidas

Deje 1.3 cm (1/2") libres entre la parte inferior de la cortina y el piso al medir cortinas que lleguen hasta el piso. Este margen le permite limpiar y pasar la aspiradora proporcionando espacio suficiente para los cordones eléctricos. También si las cortinas se cuelgan o si los pisos están disparejos, las cortinas no se arrastrarán sobre el piso.

Deje un margen de 2.5 cm (1") para telas con tejido flojo. Esta cantidad le proporciona un margen adicional para que éstas se estiren ligeramente sin arrastrarse en el piso.

Deje un espacio de 1.3 cm (1/2") libre cuando se trate de puertas deslizables de cristal, ya que si fuera mayor podría dejar pasar la luz en la parte inferior.

Deje de 10 a 15 cm (4" a 6") libres sobre los calentadores para evitar riesgos.

Deje 6.5 cm (2 1/2") si todavía no ha alfombrado. Esto le proporciona alrededor de 5 cm (2") libres para el grueso de la alfombra y el bajoalfombra, más 1.3 cm (1/2").

Las bajo-cortinas deben tener 2.5 cm (1") menos de largo, repartidos 1.3 cm (1/2") en la parte superior y otro tanto en la inferior, a fin de que no se vean bajo las cortinas exteriores.

Utilice la ventana más alta en la habitación como norma para medir si las ventanas tienen diferentes alturas. Coloque todas las otras cortinas en la habitación a la misma altura midiendo desde el piso.

Cálculo de medidas

Largo de corte	**cm (pulg.)**
Para telas en las que no se requiere casar los dibujos	
1) Largo de acabado	
2) Dobladillo inferior (doble para la mayoría de las telas)	+
3) Jareta/cabezal	+
4) Largo del corte para cada ancho o parte de éste	=
Para telas en las que se requiere casar los dibujos	
1) Largo de corte (se calcula como el anterior)	
2) Tamaño del motivo (distancia entre motivos)	÷
3) Número de repeticiones que es necesario*	=
4) Largo de corte para cada ancho o ancho parcial: multiplique el tamaño del motivo por el número de motivos que requiere	
Ancho de corte	
1) Ancho de acabado	
2) Amplitud (cuántas veces el ancho de acabado)	×
3) Ancho total	=
4) Dobladillos laterales	+
5) Ancho total necesario	=
6) Ancho de la tela	
7) Número de anchos de la tela: ancho total necesario, dividido entre el ancho de la tela*	
Total de tela necesario	
1) Largo de corte (como lo calculó antes)	
2) Número de anchos de la tela (como lo calculó antes)	×
3) Largo total de la tela	=
4) Numero de metros (yardas) necesario: largo total de la tela dividido entre 100 cm (36")	m (yardas)
Para telas transparentes anchas, que se pueden poner atravesadas	
1) 3 veces el ancho de acabado (amplitud)	×
2) Número de metros (yardas): ancho total que necesita dividido entre 100 cm (36")	m (yardas)

* Redondeé al número entero más próximo.
NOTA: Agregue tela adicional para que los extremos queden al hilo.
NOTA: Utilice para cada lienzo de la cortina la mitad del ancho. Para dividir los lienzos, ajuste las medidas del ancho para que incluyan 2.5 cm (1") para cada costura.

Determine el largo del corte

Mida desde la parte superior del cortinero hasta el largo deseado. Aumente a esta medida lo que necesite para los dobladillos inferiores, jaretas para cortinero, cabezales y, en caso de estampados, para tener los dibujos completos.

Dobladillos inferiores. Al largo de su cortina, agréguele el doble de la medida del dobladillo que desea. Si se trata de telas semiligeras, utilice un dobladillo doble de 10 cm (4"); si se trata de cortinas o visillos al piso, aumente en este caso 20.5 cm (8"). Cuando se trate de telas transparentes o ligeras, podrá hacer un dobladillo doble mayor de 12.5 a 15 cm (5" a 6"). Para los visillos cortos o galerías, puede coser un dobladillo doble de 2.5 a 7.5 cm (1" a 3").

Jaretas y cabezales. Para hacer jaretas sin cabezal, agregue a la tela de las cortinas un largo igual al diámetro de la varilla más 1.3 cm (1/2") para voltear al revés y de 6 mm a 2.5 cm (1/4" a 1") para que se deslice con facilidad. Esta última medida depende del grueso de la tela y del tamaño de la varilla. Las telas ligeras requieren menos holgura, en tanto que las jaretas para las varillas grandes necesitan más. Cuando va a requerir jaretas con cabezal, siga las indicaciones para las jaretas de las varillas y aumente el doble de profundidad de la medida del cabezal.

Repetición de dibujos. Los estampados deben quedar a la misma altura a lo ancho de los diferentes lienzos de la cortina. Mida la distancia entre los motivos y agregue esa cantidad al largo que vaya a cortar de cada lienzo.

Determine el ancho del corte

Para obtener el ancho total, añada al ancho que necesita para la cortina lo necesario para las costuras, dobladillos laterales y amplitud.

Costuras. Para cortinas que requieran varios lienzos de tela, agregue 2.5 cm (1") por costura. Los lienzos cuyo ancho no deba ser mayor que la tela no requieren medidas adicionales para las costuras.

Dobladillos laterales. Agregue 10 cm (4") por lienzo para obtener un dobladillo con doble pliegue de 2.5 cm (1") a cada lado del lienzo.

Amplitud. El peso de la tela determina la amplitud. Si se trata de encajes o de telas semiligeras o pesadas, agregue de 2 a 2½ veces el ancho final del visillo. Si se trata de telas transparentes y de peso ligero, agregue de 2½ a 3 veces el ancho terminado.

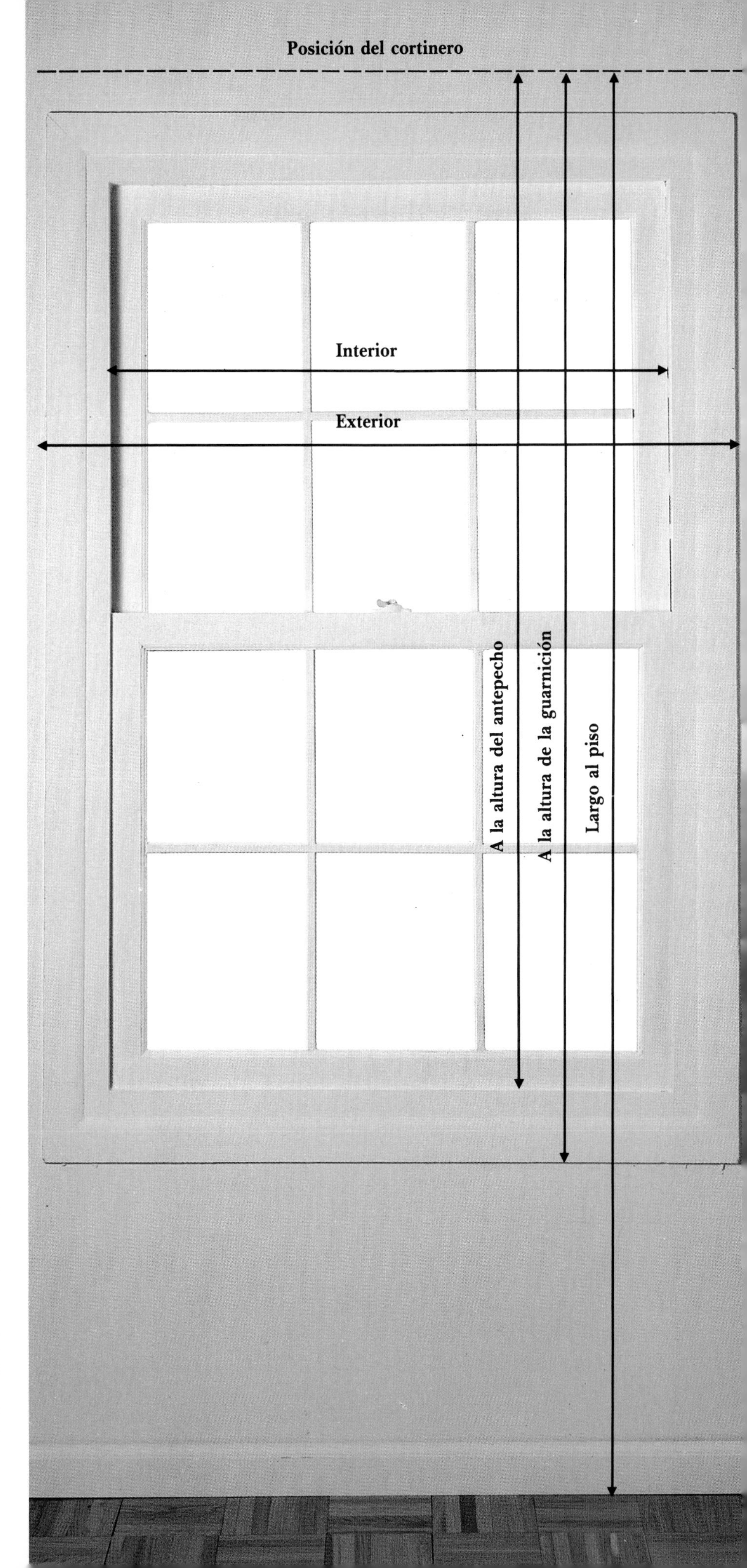

Cortineros y accesorios

La selección de los accesorios para su cortina es tan importante como el adorno para su ventana. Al seleccionar la decoración para ésta, tenga presente el efecto de los accesorios.

1) Cortineros continental(MR): son varillas que se alejan más de la pared a fin de destacar la parte superior de la cortina. Se obtienen en dos anchos, de 6.5 cm (2½") y 11.5 cm (4½").

2) Las varillas de extensión libran 6 mm (¼") en los extremos y se utilizan para visillos en ventanas y puertas. Si se trata de visillos sujetos al centro en una puerta, utilice este tipo de varilla en la parte superior y en la inferior.

3) Varillas de plástico transparente: se utilizan para visillos de telas transparentes y de encaje, ya que no se ven y no menoscaban la tela.

4) Las varillas sencillas se utilizan para cortinas que llevan jareta y cortinajes que no se moverán. Se pueden obtener en medidas que libren de 5 a 12.5 cm (2" a 5"). Hay una varilla especial para doseles, que deja un espacio libre de 19.3 cm (7½").

5) Las varillas dobles consisten de dos varillas con un espacio entre una y otra de 2.5 cm (1") que permite colgar una galería y una cortina en una sola varilla.

6) Varillas para ganchillos o garfios: se utilizan para cortinas con pliegues cosidos, ya que tienen deslizadores ocultos en la varilla para proporcionar un aspecto nítido y contemporáneo. La parte superior de la cortina apenas roza la orilla inferior de la varilla.

7) Juegos de barrotes de madera natural. Vienen redondos o con estrías y se pueden pintar para que combinen con la tela de la cortina y así obtener un toque especial.

8) Los rodillos transversales controlan el abrir y cerrar de las cortinas mediante cordones. Las cortinas se cuelgan de anillos que se deslizan por una ranura oculta. Estos rodillos también se pueden utilizar para decoración con varias capas de tela, con bajocortinas, visillos o persianas. Las galerías no son indispensables pues el acabado en latón o madera son decorativos.

9) Bastones para medias cortinas. Se utilizan con garfios que se prenden o anillos que se cosen, así como con trabillas para sostener las cortinas. Se pueden adquirir en varios acabados, incluyendo latón, esmaltado y madera. Los bastones y los juegos de barrotes de madera se utilizan para cortinas que se cierran a mano. Las cortinas se manejan con un bastón, en lugar de jalarlas con un cordón.

10) Barra de presión. Son ajustables para montarlos en el interior. Los suaves extremos de plástico o hule mantienen las varillas con seguridad en su lugar, sin requerir tornillos o agujeros. Para regaderas, se utilizan barrotes redondos, así como para medias cortinas y para colocarlos por la parte interior de las ventanas; con jaretas y galerías, se utilizan varillas planas.

11) Las varillas transversales convencionales se utilizan para cortinas que abren y cierran con cordones. Se pueden abrir desde el centro o de cualquiera de los lados. Las cortinas ocultan las varillas cuando los lienzos están cerrados, aunque este tipo de varillas también se utilizan con galerías fijas o cubreventanas, de modo que queden ocultas al abrir las cortinas. Estas varillas también se pueden conseguir en juegos diseñados específicamente para decoración en capas.

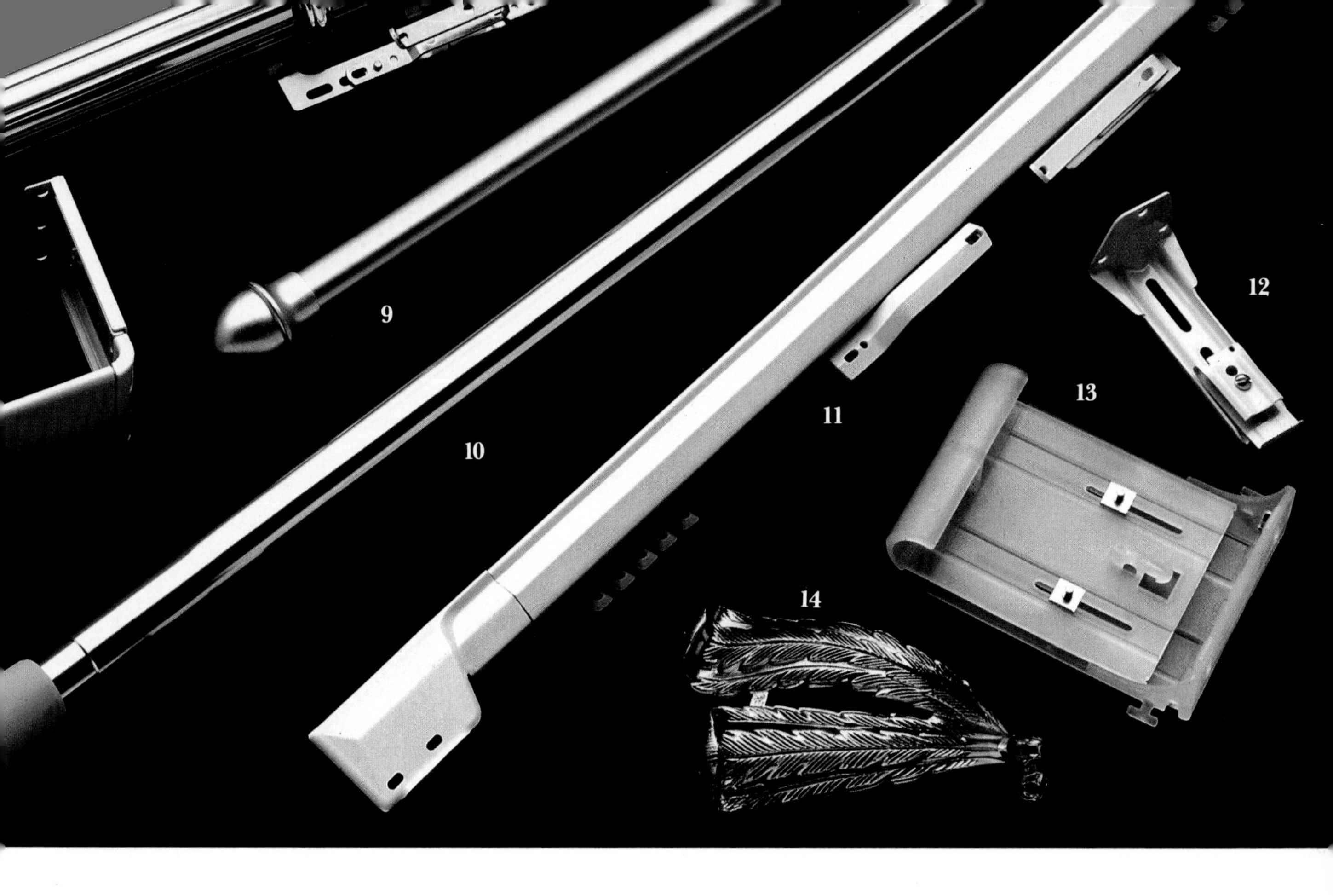

12) Las ménsulas de soporte deben colocarse cada 30.5 a 51 cm (12" a 20"), dependiendo del peso de las cortinas. En las ventanas que se cubren con varios lienzos, las ménsulas deben alinearse con la estructura entre lienzos.

13) Los soportes de abrazadera se ajustan detrás del último pliegue del cortinaje a fin de evitar que se aplasten y para sostener los pliegues de manera definida y elegante. La proyección de la abrazadera debe poder ajustarse de 12.5 a 20.5 cm (5" a 8").

14) Los sostenes tienen ganchos o extensiones que sostienen la cortina despejando la ventana.

Términos básicos que conviene conocer

a) El costado de la cortina es la medida tomada desde el último pliegue de la cortina hasta la pared.

b) La saliente o espacio libre, es la medida de la pared a la parte trasera de las guías del cortinero.

c) La longitud es la medida para varillas transversales convencionales, tomada del extremo de una ménsula al final de la otra. Si se trata de varillas decorativas, será del anillo de un extremo al anillo del otro extremo.

d) Las guías del cortinero se encuentran en las varillas con cordones y jalan la orilla de la cortina para abrirla o cerrarla.

El traslape es el área en que los lienzos de la cortina se enciman uno sobre otro en el centro de una varilla transversal de dos direcciones. La medida estándar es por lo general de 9 cm (3½") por lienzo.

El espacio que ocupan las cortinas abiertas depende del ancho de los lienzos, el espacio entre uno y otro pliegues y el grueso de la tela, que por lo general es de una tercera parte del ancho de la varilla. Deje este espacio para las cortinas calculando la mitad a cada lado de la ventana.

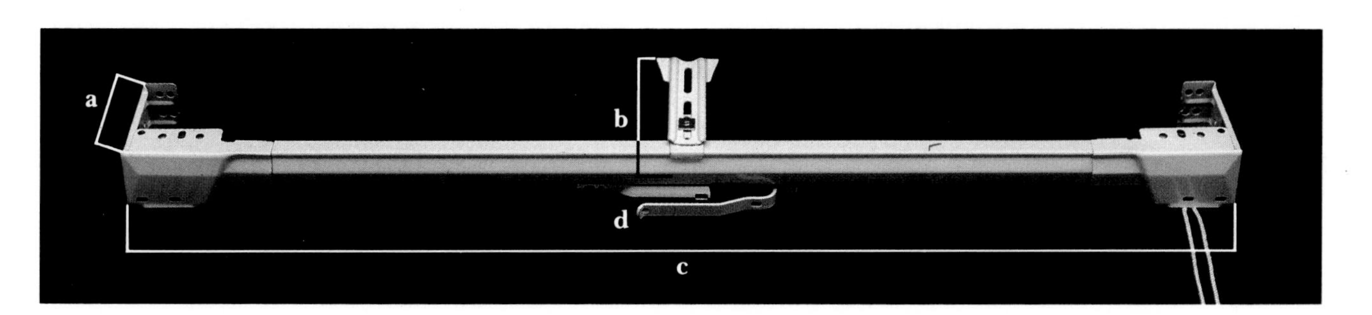

Cómo casar dibujos

Los estampados requieren una planificación cuidadosa. A fin de no desperdiciar tela o cometer errores costosos, corte, case los dibujos y cosa con cuidado. Las telas estampadas deben colocarse para que resulten agradables a la vista y se coserán para que casen en cada costura. Empiece por casar los dibujos al nivel de los ojos para que, si no casan en algún lugar, éste quede en la parte superior o en la inferior del lienzo, donde se note menos.

Comience con un motivo completo en la parte inferior de la cortina o lienzo. Si va a quedar tras un sofá o mueble, coloque la tela de modo que quede un motivo completo sobre la línea del mueble.

Case los dibujos a lo ancho de la cortina o visillo, asegurándose de que los motivos casen al nivel de la vista en todos los lienzos, si es que tiene varias ventanas que cubrir en la misma habitación o área.

Porque la mayoría de telas para decoración tienen un acabado superficial para que las estabilice, no conviene jalar un hilo para que la tela esté derecha a lo ancho. Corte en ángulo recto con el orillo o siga un motivo del estampado.

Dos maneras de cortar los extremos del ancho de la tela

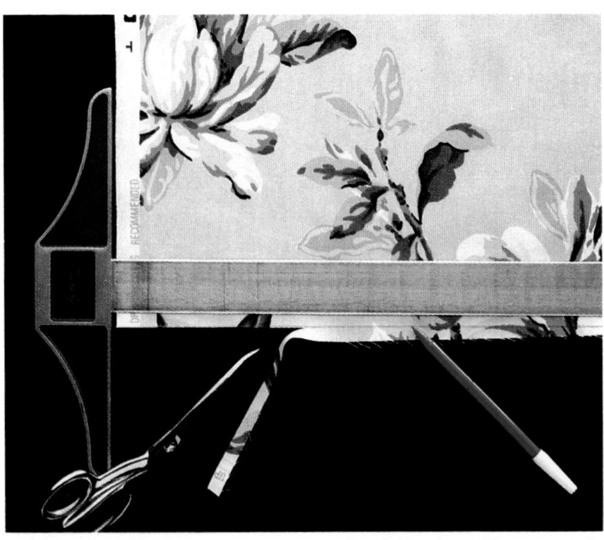

Para enderezar los extremos transversales de la tela, utilice una regla T o escuadras. Coloque la regla T o la escuadra paralela al orillo. Señale la línea de corte, corte por ella con tijeras o cuchilla rotatoria.

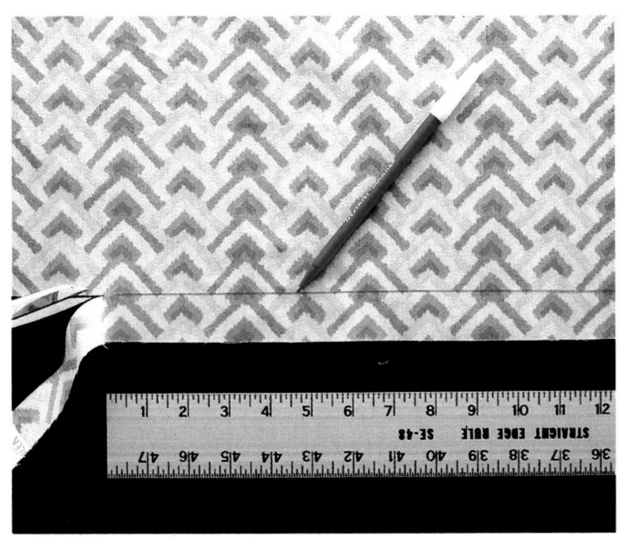

Siga una línea del dibujo que atraviese la tela a lo ancho. Corte a lo largo del diseño con tijeras o cuchilla rotatoria.

Cómo casar los estampados en forma tradicional

1) Case los estampados desde el revés colocando la punta de un alfiler a través de los dibujos que casen. Prenda a intervalos cortos para evitar que la tela se mueva.

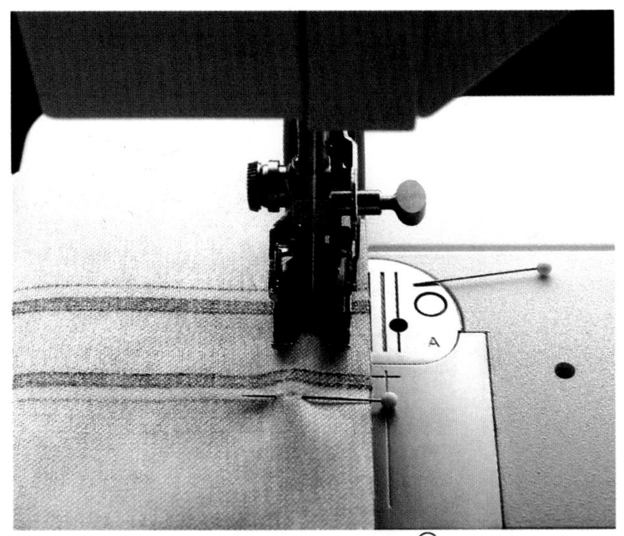

2) Cosa utilizando el prensatelas Even Feed(MR) a fin de mantener la costura alineada. Saque los alfileres conforme llegue a ellos.

Cómo casar los estampados conforme cose

1) Coloque los lienzos juntando los lados derechos, casando los orillos.

2) Doble el orillo hacia atrás en la parte superior del lienzo hasta que el dibujo case en ambos lienzos.

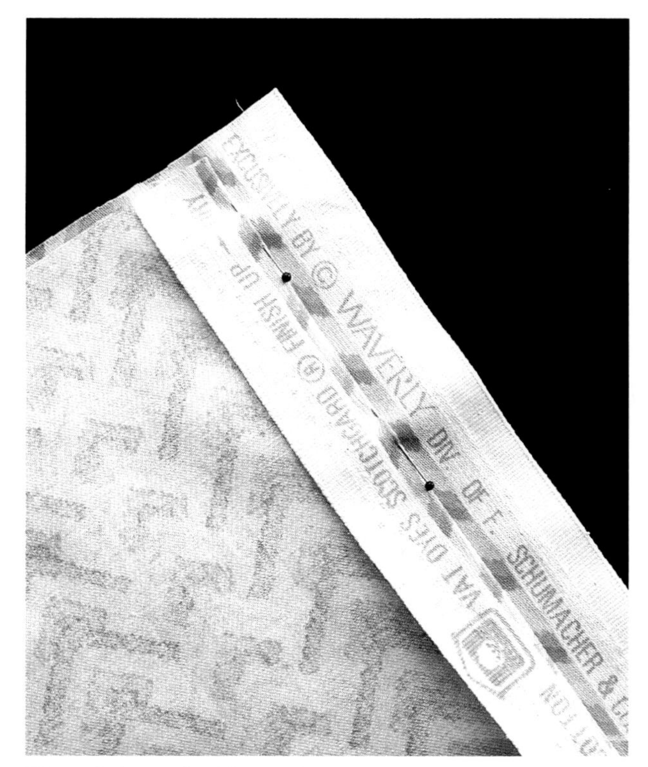

3) Prenda junto al doblez en el punto en que el diseño casa, voltee la tela hacia el lado derecho para revisar el alineamiento de los dibujos. No hacen falta más alfileres.

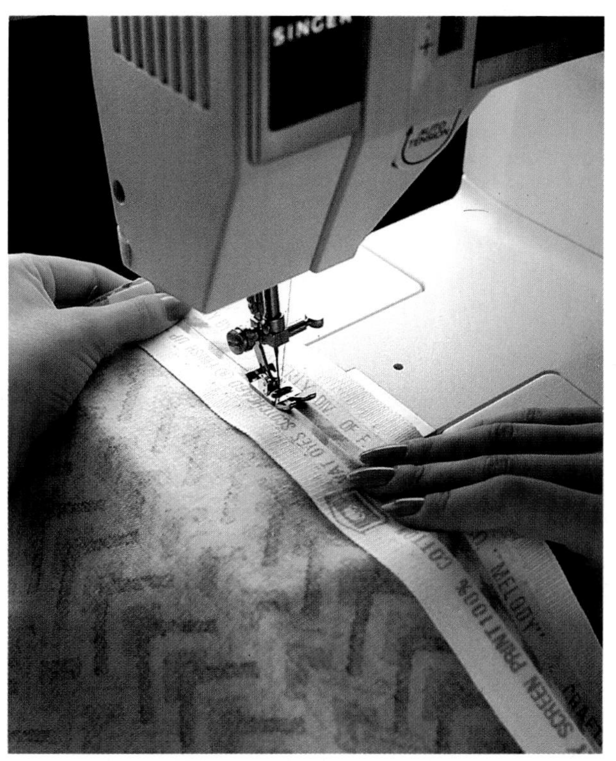

4) Cosa por el derecho, tan cerca del doblez como le sea posible. Mantenga la tela estirada mientras acomoda los motivos como los prendió. Siga cosiendo sin más alfileres, casando los dibujos conforme cosa. Corte los orillos.

Costuras y dobladillos

En la costura doméstica para decoración, todas las costuras son de 1.3 cm (1/2"), a menos que se indique lo contrario. Al cortar la tela, recuerde agregar las pestañas para las costuras a la dimensión que necesita para su labor terminada. Haga una costura adecuada a la tela cuando no haya instrucciones especiales.

Evite hacer una costura en el centro de las labores anchas, como sobrecamas, galerías o carpetas redondas de mesa. Divida los lienzos y haga las costuras a los lados para que le quede un lienzo ancho y completo al centro. Al hacer galerías abullonadas, estilo austriaco o con pliegues, oculte las costuras con una onda o pliegue.

Las costuras planas, si se cosen por el derecho de la tela y se planchan hacia un lado, se utilizan cuando se va a forrar la pieza. Si no va forrada, debe acabar las orillas con puntada de zigzag sencillo o de puntada múltiple. También puede coser con overlock las pestañas, poniéndolas juntas.

Las costuras francesas son adecuadas para telas transparentes y cortinas sin forrar, visillos, carpetas para mesa y holanes guardapolvo. Como todas las orillas cortadas quedan ocultas, este tipo de costura resulta especialmente duradero en los artículos lavables.

Las costuras hechas con overlock ahorran tiempo y resultan prácticas para la decoración del hogar porque la costura se cose y sobrehila al mismo tiempo. La máquina de overlock es un complemento adecuado de la máquina de coser convencional.

Los dobladillos dobles y los laterales se utilizan comúnmente para las ventanas. Mientras más largos sean los lienzos y menos pese la tela, más anchos deben ser los dobladillos. Utilice dobladillos dobles de 10 cm (4") en cortinas o visillos más largos que el tamaño de la ventana. Tenga cuidado de no coser un dobladillo justo en la orilla de la ventana, ya que cuando entra la luz, el dobladillo o las orillas del forro no deben verse. Los dobladillos laterales dobles miden por lo general de 2.5 a 3.8 cm (1" a 1 1/2").

Cómo hacer una costura francesa

1) Prenda la tela juntando los lados del revés. Haga una costura de apenas 6 mm (1/4"). Planche la pestaña de la costura hacia un lado.

2) Voltee los lienzos de tela para que se junten los lados derechos de la tela para cubrir la pestaña cortada. Haga una costura a 1 cm (3/8") de la orilla doblada cubriendo la primera costura. Planche hacia un lado.

Dobladillos con overlock

La orilla enrollada, cosida con overlock de 3 hilos, tiene una puntada durable y compacta para las telas ligeras. Utilícela en manteles, servilletas y holanes que llevarían un dobladillo angosto. Puede utilizar hilo contrastante como detalle decorativo.

La orilla satinada se cose con overlock angosto de 3 o de 2 hilos. Resulta adecuada para telas gruesas porque hace menos bulto que una orilla enrollada. Utilice hilo de nailon lanoso para cubrir mejor.

Costuras con overlock

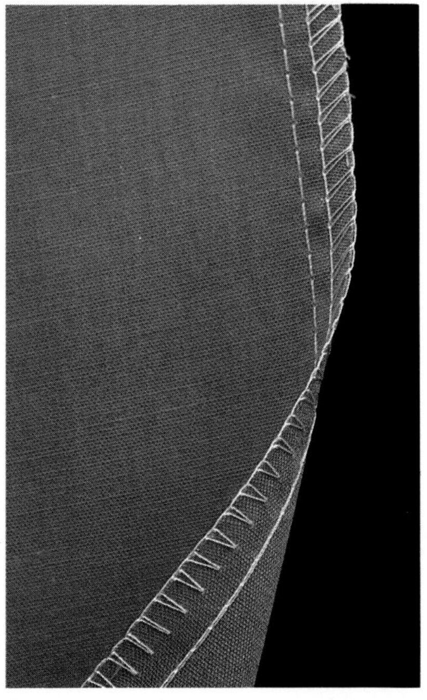

La costura overlock con 4 hilos es durable, no se estira y queda ribeteada. Utilícela para costuras largas rectas.

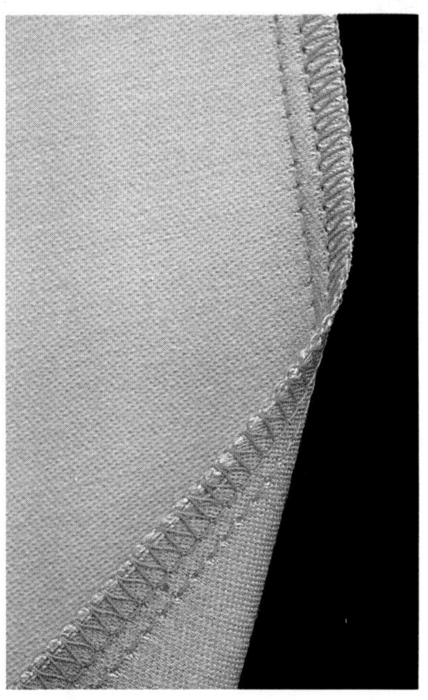

La costura overlock de 3 hilos ofrece una alternativa para la costura de 4 hilos. Utilícela con puntadas rectas convencionales, si es necesario, para reforzar y evitar que la tela se estire.

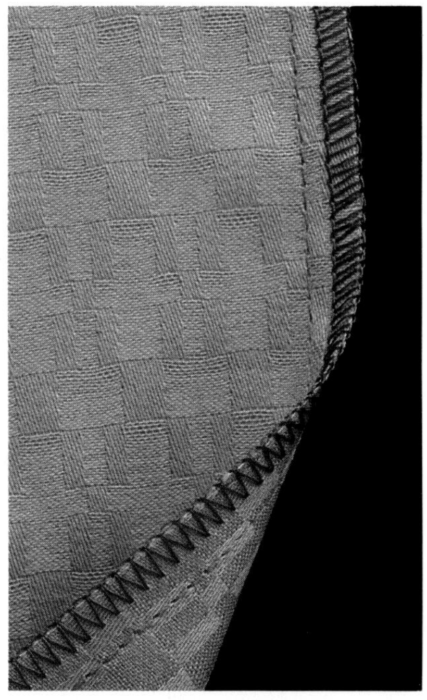

La puntada de overlock de 2 hilos es una técnica rápida y pulcra para acabar las costuras planas o las orillas cortadas de telas que se deshilachan. Puede coser overlock en las orillas antes o después de coser las telas.

Cómo coser un dobladillo doble

1) Voltee la pestaña para el dobladillo hacia abajo. Planche el doblez. Voltee de nuevo hacia abajo la pestaña y plánchela.

2) Haga una costura recta en la orilla doblada del dobladillo, utilizando de 8 a 10 puntadas por cada 2.5 cm (1"). Cuando cosa varias capas de telas gruesa, disminuya un poco la presión y cosa lentamente.

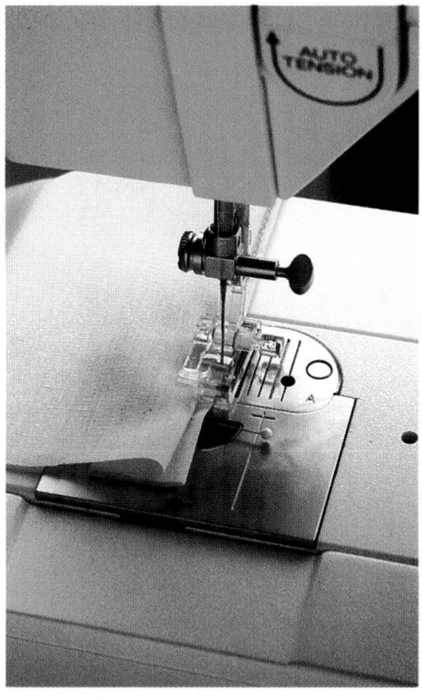

Método alternativo. Después de planchar el dobladillo, doble hacia atrás por el derecho, dejando un doblez de tela de alrededor de 3 mm (1/8") de la orilla del dobladillo. Ajuste la máquina para punto ciego y la puntada de zigzag para que sólo penetre un poco al dobladillar.

Cortinas con pliegues triples

Las cortinas con pliegues triples (o de cuchilla) son una manera popular de decorar las ventanas, ya que se abren para dejar pasar la luz y se cierran para obtener privacía. Los pliegues se acomodan espaciándolos a intervalos a fin de controlar la amplitud de la cortina. Mientras más tela acomode en cada pliegue, más amplia será la cortina.

Aunque las cintas para plegar son una respuesta fácil y rápida para algunas cortinas, la amplitud, espaciamiento y profundidad de los pliegues se restringen al usar estas cintas. La única manera de tener un control absoluto sobre la amplitud y colocación de los pliegues, es el cabezal tradicional de bocací que se utiliza en los talleres profesionales.

Antes de que usted pueda determinar el tamaño de los lienzos de la cortina, debe saber qué clase de cortineros, soportes y accesorios va a utilizar. Si se trata de varillas convencionales, mida desde 1.3 cm (1/2") por encima de la parte superior de la varilla hasta el largo deseado de la cortina terminada. Si se trata de cortinas que se montarán en varillas decorativas, mida desde los agujeros para los ganchillos en la varilla hasta el largo deseado.

Recuerde que debe incluir el espacio lateral para correr las cortinas sin obstruir la ventana cuando vaya a colocar las varillas. Esta será la medida necesaria a cada lado de la ventana para que se pueda abrir la cortina totalmente. Este espacio varía según el peso de la tela, la amplitud y si la cortina está o no forrada, aunque puede calcularse en un tercio del ancho de la ventana. Si se trata de cortinas que se abren desde el centro, este espacio se distribuye a ambos lados de la ventana.

✂ Instrucciones para cortar

Mida la ventana y siga las indicaciones para cortinas y visillos (páginas 26 y 27). Hay dos medidas fundamentales que debe tomar en cuenta: el largo terminado y el ancho de su cortina acabada. Calcule las medidas y corte los distintos lienzos para la cortina y el forro utilizando la tabla que aparece en la página opuesta. Estas indicaciones se emplean cuando las cortinas tienen dos lienzos.

MATERIALES NECESARIOS

Tela para decoración para cortinas.

Tela para forro, si va a forrar las cortinas.

Varillas transversales convencionales, varillas transversales sin anillos o un bastón de madera.

Bocací de 10 cm (4") de ancho para el cabezal de la cortina.

Cálculo de medidas

Largo de la cortina	cm (pulg.)
1) Largo de la ventana medido desde la varilla	
2) Deje 20.5 cm (8") para el cabezal	+
3) Deje 20.5 cm (8") para el dobladillo doble	+
4) Largo de corte de la cortina	=
Ancho de la cortina	
1) Ancho de la varilla (desde la ménsula de un extremo hasta la del otro en las varillas convencionales y del anillo de un extremo al del otro en las varillas decorativas)	
2) Costados	+
3) Traslape [lo común es 9 cm (3½")]	+
Ancho de la cortina terminada	=
Anchos por lienzo	
1) El ancho acabado por 2, 2½ ó 3 veces (amplitud)	
2) Ancho de la tela	÷
3) Número de anchos de tela requerido: redondee al número entero más próximo, mayor o menor	=
4) Divida los anchos entre 2	÷
5) Número de anchos por lienzo	=
Total de tela necesario para las cortinas	
1) Largo de corte (calculado anteriormente)	
2) Anchos de tela (calculados anteriormente)	×
3) Largo total de la tela	=
4) Cantidad necesaria en metros (yardas): largo total de la tela dividido entre 100 cm (36")	m (yd.)
Largo del forro	
1) Largo de la cortina terminada	
2) Deje 10 cm (4") para los dobladillos dobles	+
3) Largo del forro cortado	=
Ancho del forro	
Número de anchos por lado: para un forro de 140 cm (54") de ancho, corte el mismo número de anchos que para la tela de la cortina. Para un forro de 108 cm (48") de ancho, por lo común hace falta un ancho más	=
Total de tela necesaria para el forro	
1) Largo de corte (calculado anteriormente)	
2) Anchos de tela (calculados anteriormente)	×
3) Largo total de tela	=
4) Cantidad necesaria en metros (yardas): largo total de tela dividido entre 100 cm (36")	m (yd.)

Tablones en las cortinas

Utilice la hoja guía para determinar el número y tamaño de los tablones y espacios necesarios para cada lienzo. La cantidad de material que se recomienda para cada pliegue es de 10 a 15 cm (4" a 6"). El espacio entre tablones es de 9 a 10 cm (3½" a 4"), que será también la medida del traslape al centro. Si el cálculo en la tabla para el tamaño de los tablones resulta mayor que la cantidad que se recomienda, agregue un tablón y un espacio más; pero si el cálculo resulta menor que la cantidad recomendada, quite un tablón y un espacio.

Guía para plisar las cortinas

Ancho del lienzo terminado	cm (pulg.)
1) Ancho de la cortina terminada (se calculó a la izquierda)	
2) Dividido entre 2	÷
3) Ancho del lienzo terminado	=
Espacio entre tablones	
1) Número de anchos por lienzos necesarios, número de tablones por lienzo*	=
2) Número de espacios por lienzo (uno menos que los tablones)	=
3) Ancho del lienzo terminado (se calculó arriba)	
4) Traslape y costados	−
5) Número de espacios	÷
6) Espacio entre tablones	=
Pestaña para tablones	
1) Ancho del lienzo plano dobladillado	
2) Ancho del lienzo terminado (se calculó arriba)	−
3) Pestaña para tablones	=
Tamaño de los tablones	
1) Medida deseada (se calculó arriba)	
2) Número de tablones por lienzo	÷
3) Tamaño del tablón	=

* Calcule 5 tablones para una tela de 122 cm (48") de ancho, 6 tablones para una tela de 140 cm (54") de ancho. Si tiene medio ancho de tela, calcule 2 ó 3 tablones en ese medio ancho. Por ejemplo, para una tela de 122 cm (48"), 2½ anchos por lienzo = 12 tablones.

Cómo coser pliegues de cuchilla en cortinas sin forrar

1) Una los anchos de tela que sean necesarios. (Quite los orillos para evitar los frunces.) Utilice costura francesa o de overlock. Voltee por el revés y cosa con puntada invisible o puntada recta los dobladillos inferiores de 10 cm (4") o doblez.

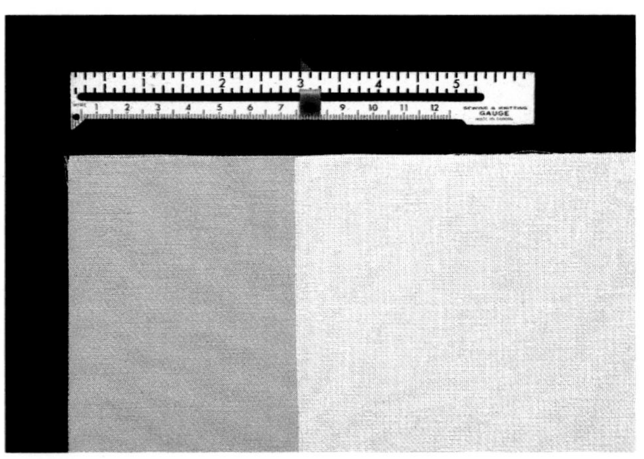

2) Corte una tira de bocací de 10 cm (4") de ancho con 15 cm (6") más corta que el ancho del lienzo. Por el revés de la cortina, coloque el bocací al parejo con la orilla superior y a 7.5 cm (3") de los costados.

3) Doble dos veces la parte superior de la tela al revés, cubriendo el bocací con ésta. Planche y prenda, o dobladíllela.

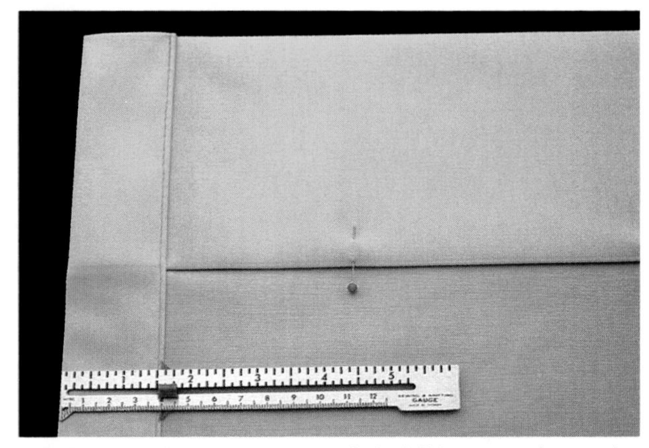

4) Voltee al revés y cosa con puntada invisible o puntada recta los dobladillos laterales dobles de 3.8 cm (1½"). Determine el ancho de los pliègues y el espacio entre ellos con base en la guía de la página 35.

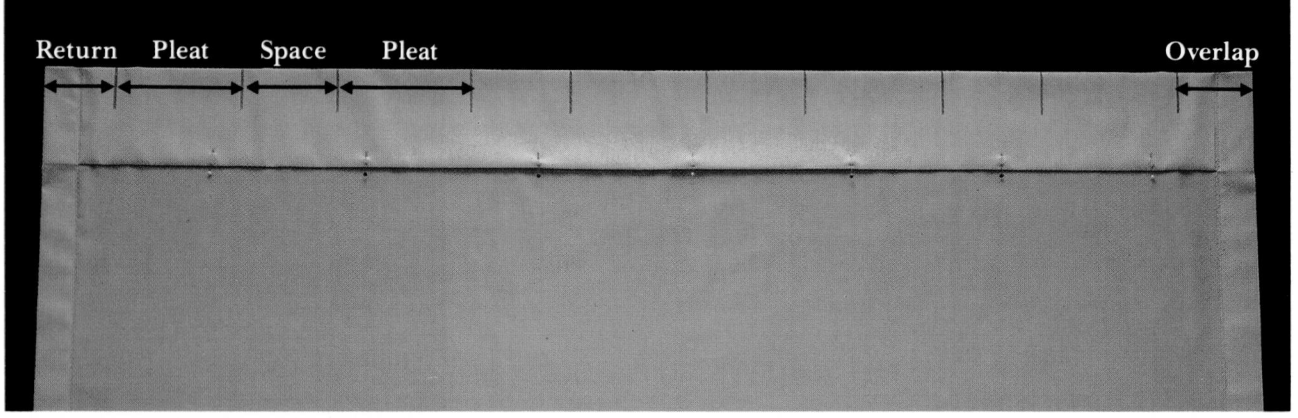

5) Señale los costados y el traslape en ambos lienzos y marque después los tablones y espacios. Asegúrese de que haya un tablón justo antes del costado y junto al traslape. El ancho de los tablones puede variar ligeramente para dar cabida al sobrante del ancho y los pliegues se ajustan conforme sea necesario para ocultar las costuras dentro de los tablones. Los espacios deben ser uniformes.

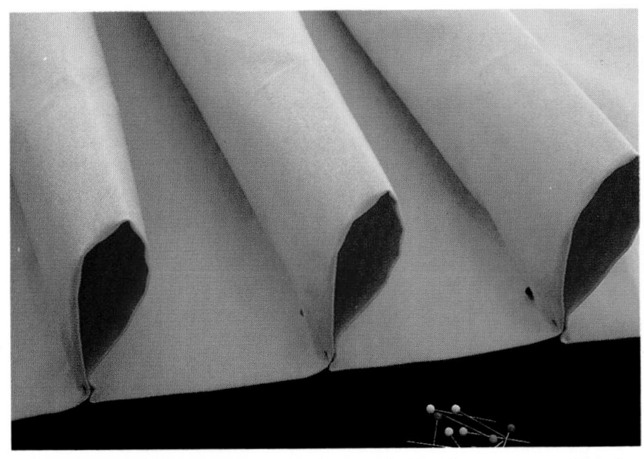

6) Doble los pliegues uno a uno juntando las líneas y prendiendo. Marque el doblez en el bocací.

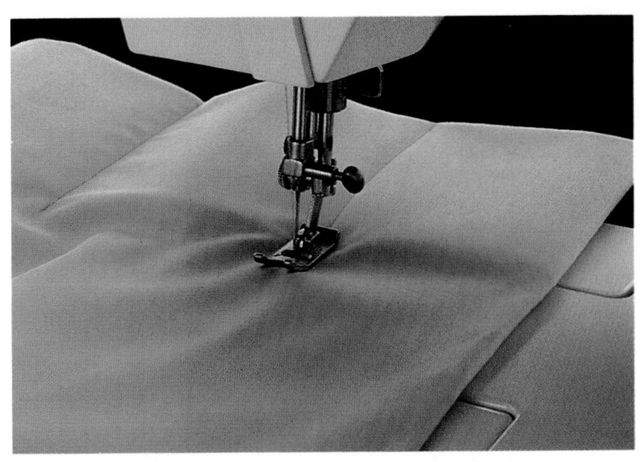

7) Cosa por la línea del pliegue de la parte superior hasta 1.3 cm (1/2”) bajo el cabezal, rematando con costura hacia atrás.

8) Divida en tres pliegues iguales. Marque el doblez de cada uno con la mano mientras abre el pliegue en la parte superior del cabezal.

9) Acomode el doblez hacia abajo hasta que se junte con la línea de costura del pliegue. Se forman dos pliegues a los lados.

10) Prenda los dobleces exteriores para que casen con el doblez central. Marque con los dedos los tres pliegues y asegúrese de que están parejos.

11) Fije los pliegues con un pespunte corto en el centro del pliegue, a 1.3 cm (1/2”) de la parte inferior de la cinta. Ajuste la máquina para puntada ancha y haga de 4 a 5 puntadas.

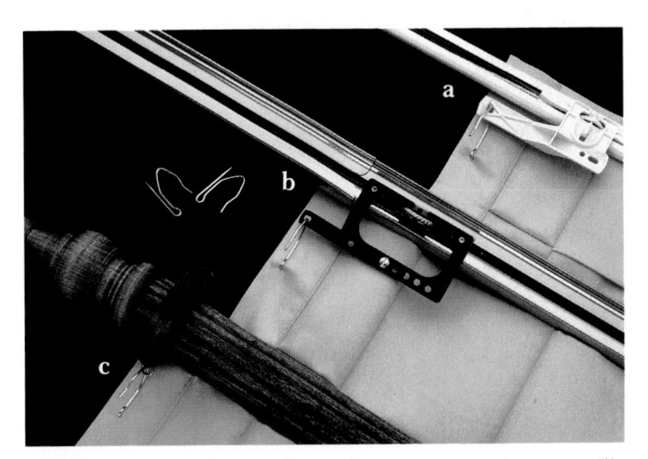

12) Inserte los ganchillos para cortinas. Si se trata de una varilla transversal convencional **(a),** la parte superior del ganchillo queda a 4.5 cm (1 3/4”) de la orilla superior de la cortina. Si es una varilla transversal de decoración **(b),** el ganchillo queda a 2 ó 2.5 cm (3/4” ó 1”) de la orilla superior. En un barrote de madera **(c),** coloque el ganchillo a 1.3 cm (1/2”) de la orilla superior.

Cómo coser pliegues de cuchilla en cortinas forradas

1) Cosa la tela de la cortina siguiendo el paso 1 de la página 36. Una los lienzos del forro que sean necesarios utilizando costura sencilla u overlock. (Quite los orillos para evitar frunces.) Voltee al revés y cosa un dobladillo doble en la parte inferior de 5 cm (2").

2) Coloque la cortina sobre una mesa o superficie plana grande. Acomode el forro sobre la cortina, juntando los *lados del revés* y procurando que el dobladillo del forro quede 2 cm (3/4") por encima del dobladillo de la cortina.

3) Recorte 7.5 cm (3") de cada orilla exterior del forro. Recorte el forro para que quede a 20.5 cm (8") de la orilla superior de la cortina.

4) Siga el paso 2 de la página 36. Doble *dos veces* el cabezal al revés, doblando la entretela sobre el forro en la parte superior. Planche y prenda o hilvane a mano.

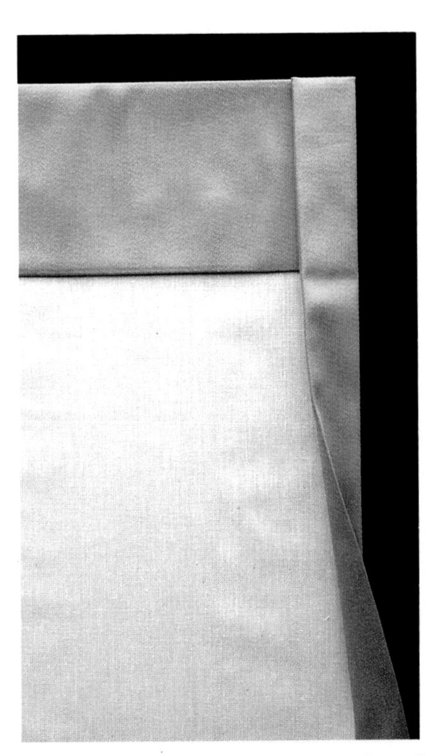

5) Haga un doblez doble en la parte lateral de 3.8 cm (1 1/2") sobre el forro.

6) Cosa con puntada invisible los dobladillos laterales (página 33). Acabe las cortinas siguiendo los pasos 5 a 12, páginas 36 y 37.

Arreglo final de las cortinas

La decoración de las cortinas requiere un arreglo final, o moldeado, que ayuda a que se vean lo mejor posible. Antes de colgarlas, hay que plancharlas en seco con plancha caliente para quitarles todas las arrugas. Después de colgarlas, si aún tienen arrugas, plánchelas en seco otra vez poniéndoles encima un pedazo de servilleta desechable.

Si la tela es especialmente resistente para acomodarse en los pliegues deseados, tal vez desee acomodar los pliegues con los dedos. Coloque la orilla del frente de la cortina entre el pulgar y el índice y, siguiendo la orilla frontal del pliegue hasta el dobladillo, recorra todo el largo de la cortina. Al apretar con los dedos se forma un pequeño pliegue, lo que ayuda a acomodar la cortina y señalar el pliegue.

Las persianas romanas tal vez requieran también un arreglo; hay que levantarlas y después dejarlas en esta posición, atadas, durante unos días para que se marquen los pliegues. Posteriormente, al levantar de nuevo la persiana, después de haberla bajado, los pliegues se marcan solos en la posición adecuada.

Cómo acomodar las cortinas

1) Abra las cortinas. Comience por la parte de arriba y acomode suavemente los pliegues hasta la parte inferior. Si están forrados, también sostenga el forro. Asegúrese de que los marca del mismo tamaño. Utilice el hilo de la tela como guía para mantenerlos perpendiculares al piso.

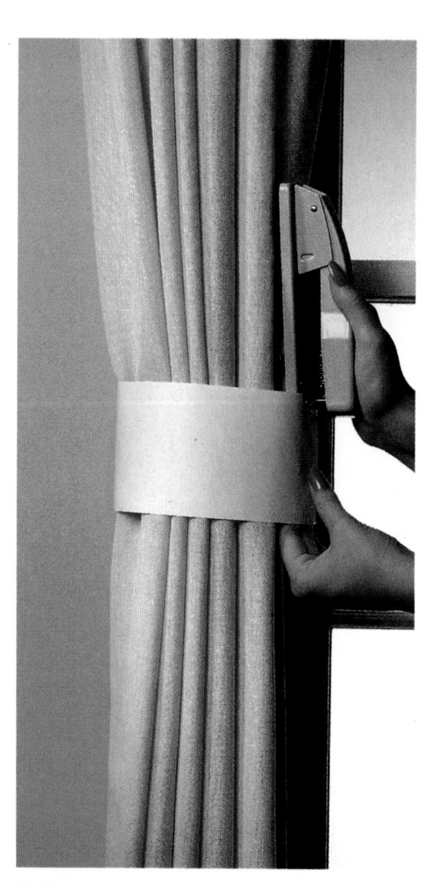

2) Engrape una tira de papel o ate una tira de manta alrededor de los pliegues colocándola a la mitad entre la parte superior y el dobladillo para sostenerlos en su lugar. No apriete demasiado para que no se arruguen.

3) Engrape una segunda tira de papel a la altura del dobladillo. Las cortinas deben colgar rectas desde la varilla. Déjelas de esta manera de 5 a 7 días. La humedad favorece este acomodo final.

Abrazaderas

Las abrazaderas gigantes de cordón resultan un cambio agradable en cuanto a las abrazaderas rectas tradicionales o las que se cosen en disminución. Se pueden trenzar, torcer, anudar o plegar a fin de coordinarlas con los lienzos de los visillos y cortinas. Las abrazaderas con ribete que tienen una inserción plegada resultan perfectas si se coordinan con el aspecto suave y esponjado de los visillos sueltos o los lienzos ligeros que se sujetan.

Al colocar una abrazadera a una altura baja, el efecto visual que da es de mayor amplitud en la ventana. Se colocan altas a una distancia mayor para dar un efecto de altura. La posición más popular es alrededor de uno o dos tercios de la altura del ventanal, o a la altura del antepecho. Si va a colocar cortinas estilo de cafetería bajo los visillos, las abrazaderas pueden colocarse a la altura de las varillas para ese tipo de cortinas.

Para calcular el largo de las abrazaderas, mida alrededor de la cortina sosteniendo una cinta de medir, floja, a la altura que desee la abrazadera. Agregue 2.5 cm (1") al largo para las pestañas de las costuras.

También puede calcular que si la ventana va a tener dos cortinas, una abrazadera debe medir lo que la mitad de la varilla, más 10 cm (4"). Por lo general no es una buena idea el atar una cortina que es más ancha que larga. Si coloca abrazaderas a una cortina, ésta debe permanecer atada, ya que las arrugas y dobleces tardan varios días en desaparecer.

Cómo coser abrazaderas trenzadas

1) Corte un cordón de 3 veces el largo de la abrazadera terminada y las tiras de tela de $1\frac{1}{2}$ veces el largo de la abrazadera. Forre el cordón extragrueso como se indica en la página 112, pasos 1 a 3. Recorte los extremos de los cordones, voltéelos hacia el interior y cierre con punto deslizado.

2) Traslape ligeramente los tres tubos en un extremo. Cósalos juntos a mano y trence. Corte los otros extremos de los tubos al largo deseado y termine como lo hizo para el primer extremo de la abrazadera.

3) Utilice aros con gancho **(a)** o fije con puntadas un anillo de cortina **(b)** en el centro de cada extremo. Fije los anillos al gancho del soporte de la pared.

Abrazadera con nudo extragrande

Corte un cordón de 2 veces el largo de acabado de la abrazadera más 102 cm (40") para el nudo. Corte las tiras de tela del largo de la abrazadera, más 51 cm (20"). Forre el cordón, siguiendo las instrucciones de la página 112, pasos 1 a 3. Ate el gran nudo en el centro. Corte la abrazadera al largo deseado. Corte el cordón sobrante por los extremos. Voltee los extremos de la tela al interior, cosa con puntada invisible. Fije un anillo de cortina en cada extremo.

Abrazadera extragrande retorcida

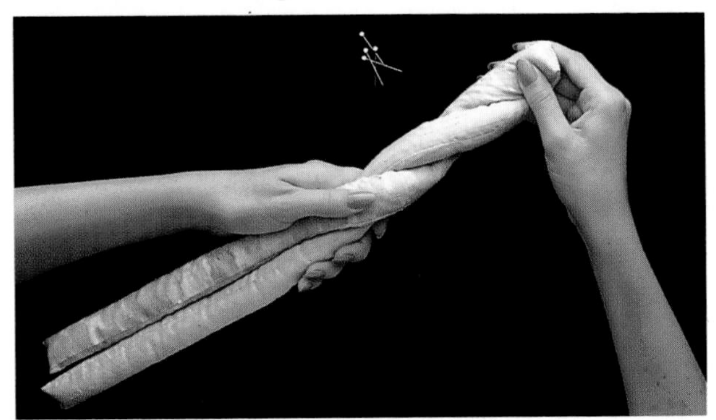

Corte un cordón del doble del largo deseado para la abrazadera; corte tiras de tela del largo de la abrazadera más 2.5 cm (1"). Forre el cordón extragrueso, siguiendo las instrucciones de la página 112. pasos 1 a 3. Recorte el sobrante de cordón de los extremos. Voltee las puntas al interior. Cierre con puntada invisible. Cosa a mano uniendo los extremos de los tubos y tuérzalos. Fije un anillo de cortina en cada extremo.

Abrazadera con cordón extragrueso plegado

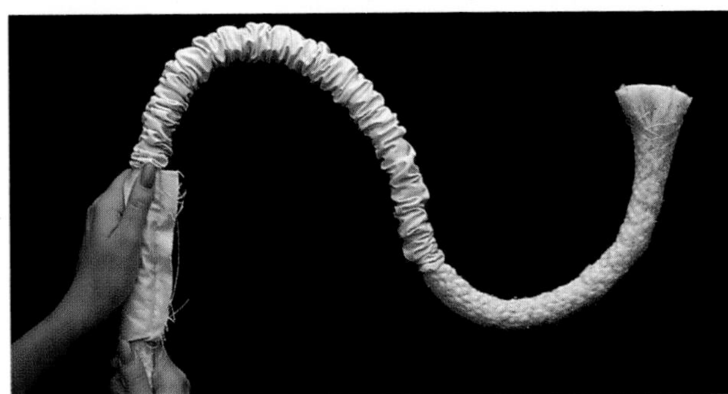

Corte un cordón de 3 veces el largo de la abrazadera. Corte tiras de tela del doble de largo de la abrazadera y con 5 cm (2") más de ancho que la circunferencia del cordón. Doble la tira alrededor del cordón, con los lados *derechos* juntos. Forre el cordón, siguiendo las instrucciones de la página 112, pasos 1 y 3, plegando la tela conforme voltea el tubo. Acabe las orillas y fije las argollas.

Abrazadera con inserto plegado

1) Corte el inserto del doble del largo terminado más 5 cm (2") y del ancho terminado más 2.5 cm (1"). Corte el forro 5 cm (2") más de largo y 2.5 cm (1") más que el ancho de la abrazadera terminada. Corte el bocací 6 mm (1/4") más angosto que el tamaño ya terminado. Corte tiras de bies para el ribete (página 110) del doble del largo terminado más 10 cm (4") extra para acabar las orillas.

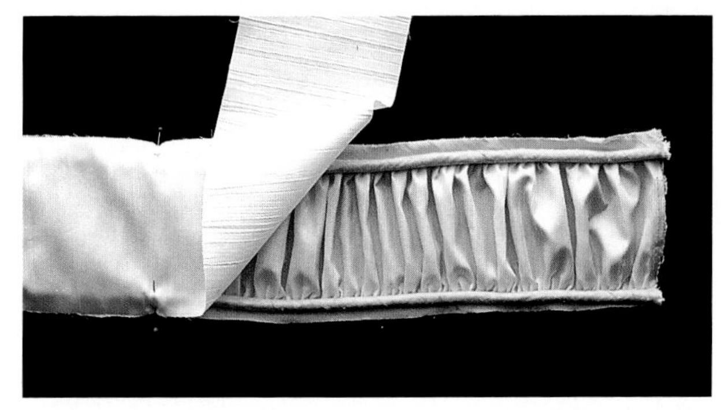

2) Una ambas orillas del inserto. Haga el cordón (página 111). Hilvane a máquina el ribete acordonado por el derecho de la tira plegada, con una costura de 1 cm (3/8"). Prenda el lado derecho del forro al lado derecho de la tira. Haga una costura de 1.3 cm (1/2"). Voltee el derecho hacia afuera.

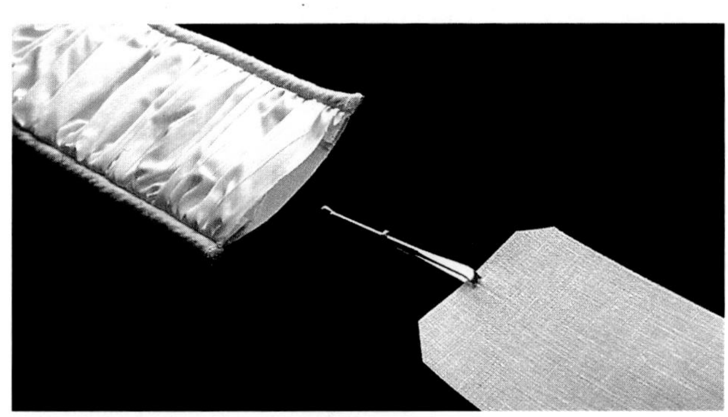

3) Recorte el bocací y sosténgalo con la punta de un ganchillo por un extremo. Sujételo con el ganchillo e insértelo entre la tela plegada y el forro.

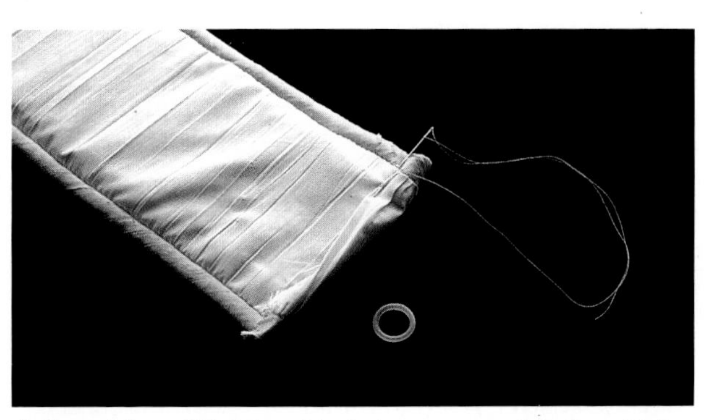

4) Corte 2.5 cm (1") del cordón de los extremos del ribete. Voltee hacia dentro por ambos lados 1.3 cm (1/2") para dobladillar y cosa con puntada invisible. Fije los anillos en el centro de la abrazadera.

Cortinas sujetadas al centro

Las cortinas sujetadas al centro (o en forma de reloj de arena), toman su nombre de la forma que se les da. Se mantienen estiradas entre las varillas de extensión de la parte superior e inferior del panel de vidrio, para después juntarlas al centro para crear la forma de reloj de arena. Si va a montarlas dentro del marco de la ventana, utilice barras ajustables.

Puesto que estos visillos se mantienen muy cerca del vidrio, resultan una manera adecuada de decorar las puertas. También se ven bien en ventanas que no tienen espacio lateral para acomodar las cortinas abiertas. Permiten que pase la luz y, si se desea un efecto más vaporoso, pueden confeccionarse en encajes o telas transparentes.

Hace falta tomar dos medidas de largo: el largo al centro de la cortina y el largo *ya ajustado* a los lados. Este último permite juntar la tela al centro de la ventana. Para cada 30.5 cm (12"), calcule 5 cm (2") más.

✂ Instrucciones para cortar

Corte la tela de 2 a 2½ veces el ancho de la varilla. Corte el largo tal como lo midió en el paso 1, a la derecha. Aumente la pestaña para las jaretas de la varilla y los cabezales en la parte sobrante de arriba y abajo de la cortina, más 2.5 cm (1") para voltear al revés.

MATERIALES NECESARIOS

Tela ligera para decoración, adecuada para los visillos.

Dos juegos de barras de presión. Conviene colocarlos antes de medir.

Cómo coser cortinas sujetadas al centro

1) Mida lo que será el largo de un costado terminado. Con una cinta de medir o cordel, trace sobre la puerta o ventana una curva en forma de reloj de arena. La parte más angosta debe medir por lo menos la tercera parte del ancho del cristal.

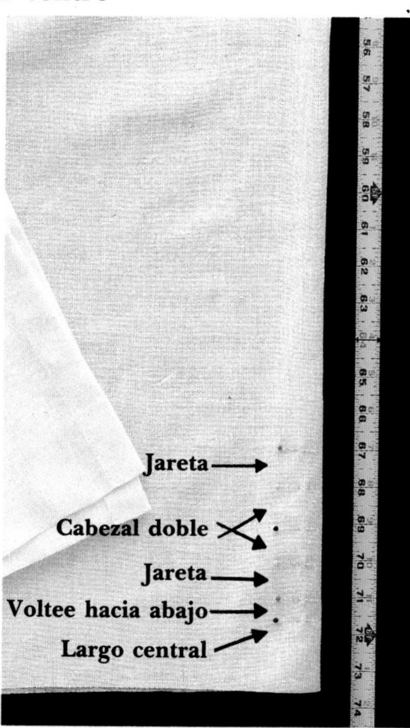

2) Voltee al revés y cosa dobladillos laterales dobles de 2.5 cm (1"). Doble el lienzo por la mitad a lo largo; sobre el doblez, señale el centro del largo terminado más la jareta para la varilla y la tela para el cabezal. Cerciórese de que las marcas sean iguales en ambos extremos de la tela.

3) Señale una curva suave del largo lateral en la orilla dobladillada hacia el centro, de aproximadamente 7.5 cm (3") del pliegue central. Corte por la línea señalada en la parte superior y en la inferior.

4) Cosa las jaretas para las varillas y cabezales en la parte superior y en la inferior del visillo. Inserte las varillas planas.

5) Coloque la cortina. Con un cordón o cinta de medir, déle forma al visillo juntando la parte central y mida para hacer la abrazadera. Agregue 5 cm (2") para el traslape. Para las abrazaderas, consulte las páginas 41 a 43. Para coser el rosetón de tela, vea la página 109.

Persianas enrollables al frente

La persiana enrollable al frente es una forma sobria y práctica de cubrir los marcos de la ventana, pudiéndose colgar de una varilla dentro de una galería acojinada. El forro contrastante que se enrolla hacia la parte de afuera de la persiana, ha sido adherido con calor a la tela de la persiana.

Seleccione dos telas de peso medio, con tejido compacto, que se puedan adherir bien una a otra. No utilice telas que sean repelentes al agua o a las manchas. Estas telas han recibido un acabado con silicón que impide la adhesión con calor de otra tela. Haga una prueba en una muestra de tela para estar segura de que las telas se adhieren completamente. Para evitar que los dibujos se transparenten cuando la luz del sol pase a través de la persiana, utilice un forro liso, aprovechando que los colores claros muestran menos el desteñido por el sol que los colores fuertes.

Las persianas enrollables al frente llegan hasta el antepecho, pero como el forro también es decorativo, siempre se deja a la vista una parte del forro enrollando la persiana un poco.

Haga la galería y fórrela, siga las instrucciones de las páginas 66 a 99.

✂Instrucciones para cortar

Corte la tela de la persiana y la entretela adherible 2.5 cm (1") más angosta que la medida interior de la galería y 30.5 cm (12") más larga que la medida desde el soporte de la varilla en la galería hasta el antepecho. El forro debe cortarse 5 cm (2") más ancho y 9 cm (3½") más largo que la tela de la persiana. Corte dos largos de cordón para la persiana, de tres veces el largo de la persiana más el ancho de ésta.

MATERIALES NECESARIOS

Tela para la persiana, forro contrastante liso y entretela fusionable, siguiendo las especificaciones que aparecen a la derecha.
Galería forrada, cuyas medidas interiores deben tener 12.5 cm (5") más de profundidad y 10 cm (4") más de ancho que el marco de la ventana (página 67).
Cuatro armellas de 1.3 cm (½").
Una varilla convencional con soportes, del mismo tamaño que el ancho anterior de la galería.
Un barrote de madera de 1.3 cm (½") del ancho de la persiana terminada, cordón para la misma, cornamusa y jaladera para los cordones.
Nota: Si la persiana tiene más de 91.5 cm (36") de ancho, agregue otra ménsula, un cordón más para la persiana y dos armellas más para el centro de la persiana.

Cómo coser una persiana enrollable al frente

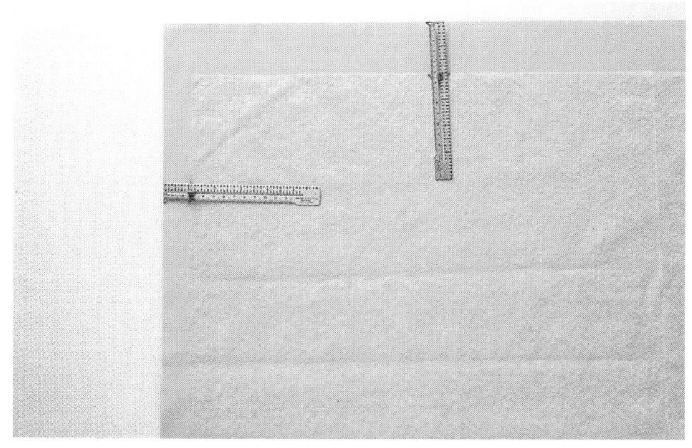

1) Coloque el forro con el *revés* hacia arriba, encima de una superficie plana acojinada. Centre la entretela adherible de un lado al otro, dejándola a 5 cm (2") de la parte superior y a 3.8 cm (1½") de la parte inferior.

2) Coloque la tela de la persiana con el *derecho* hacia arriba sobre el forro, acomodando las orillas con la entretela adherible. Pegue la tela de la persiana al forro, siguiendo las instrucciones del fabricante.

3) Planche el forro al lado derecho con dobladillos laterales dobles de 1.3 cm (½") y cósalos. Para las jaretas de las varillas, planche primero 1.3 cm (½") y después 3.8 cm (1½") al lado derecho sobre la orilla superior; planche 1.3 cm (½") y después 2.5 cm (1") hacia el lado derecho sobre la orilla inferior. Cosa.

4) Inserte el bastón en la jareta inferior y la varilla especial en la jareta superior.

5) Marque la línea central a lo largo de la parte superior de la galería; inserte las armellas a 5 cm (2") a ambos lados de la línea central y a 15 cm (6") hacia dentro de los extremos. Fije los soportes de las varillas al centro de los extremos de la galería.

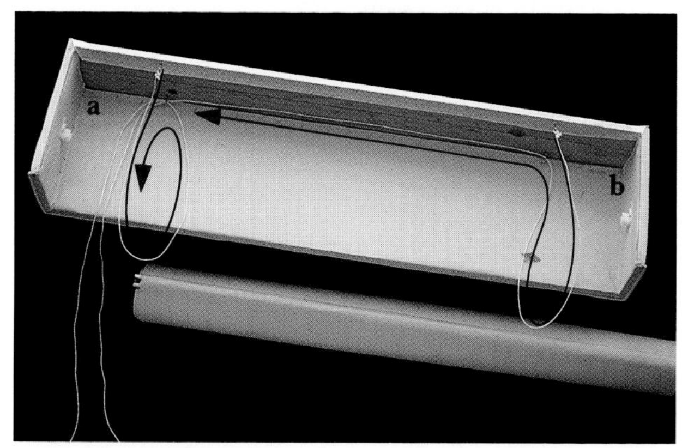

6) Ate el cordón del lado que vaya a jalar **(a)** a la armella en la parte interior de la galería y pase el cordón a través de la armella correspondiente por el frente. Repita para el otro lado **(b),** pasando el cordón sobre la parte superior y ensartándolo a través de la armella por el lado que va a jalar. Coloque la galería.

7) Fije la cornamusa a un lado del marco de la ventana. Meta la persiana en los soportes. Pase los cordones alrededor de la persiana. Acomode los cordones para que quede nivelada e inserte los extremos de los cordones en la jaladera. Ate los extremos.

Cortinas con forma de manga de Obispo

Estas elegantes cortinas abullonadas son simplemente cortinas con jareta que tienen un largo adicional para el abombado. El aspecto de manga de obispo se logra con abrazaderas que jalan la cortina sosteniéndola firmemente al marco de la ventana. Puede utilizar el número de abullonados que desee. Acomode y fije los abullonados en una posición que guarde buena proporción con el largo y ancho de la ventana.

Los abullonados se balancean a cada lado de la abrazadera, ya que la varilla de la cortina se extiende de 15 a 20.5 cm (6" a 8") a cada lado de la ventana. Si el espacio lateral es limitado, pueden colgar rectas por la orilla exterior, abullonándolas únicamente hacia el centro de la ventana.

Las abrazaderas deben quedar apretadas en esta cortina, en contraste con las de la mayoría de las cortinas, que van algo sueltas. Para un efecto decorativo, utilice abrazaderas con borlas o moños sueltos con cintas colgantes largas. También puede utilizar cordón para atar los abullonados, de modo que las abrazaderas no se vean. Como toque final, la línea suave y fluida de las cortinas de manga de obispo se puede repetir en las galerías, abullonándolas o aglobándolas (páginas 54 a 57).

✂ Instrucciones para cortar

Corte los lienzos de 2 a 2½ veces más anchos que el ancho final. El largo de la cortina ya terminada debe medir 30.5 cm (12") adicionales para cada abullonado y 30.5 cm (12") para los pliegues en el piso. A esto se le agrega el margen para formar el cabezal doble y lo suficiente para la jareta de la varilla. Agregue 5 cm (2") para un dobladillo doble en la parte inferior si va a tener sobrante en el piso, o 20.5 cm (8") para un dobladillo doble si las cortinas sólo llegan al piso.

MATERIALES NECESARIOS

Tela para decoración para cortinas.

Abrazaderas y ganchos para cada abullonado.

Varillas planas o de tipo Continental(MR).

Cómo coser una cortina de manga de Obispo

1) Voltee al revés y cosa dobladillos laterales dobles de 2.5 cm (1"). Voltee al revés y cosa la jareta para la varilla y el cabezal. Haga dobladillos dobles en la parte inferior.

2) Inserte la varilla, cuelgue y acomode los lienzos en forma simétrica. Determine el lugar en que colocará los abullonados tomando la tela con las manos y levantándola en diferentes posiciones hasta que encuentre la más agradable.

3) Señale el lugar para la abrazadera. Fije un gancho detrás del abullonado para sostener la abrazadera. Puede rellenar con papel de china el abullonado para mejorar el volumen si la tela carece del cuerpo necesario.

Cortinas con aletilla triangular

Estas elegantes cortinas requieren una cantidad mínima de tela y proporcionan un aspecto sobrio, despejado. Seleccione dos telas que se complementen una a otra para la tela exterior y el forro. El forro tiene la misma importancia que la tela exterior.

✂ Instrucciones para cortar

Corte cada lienzo de la mitad de la medida de la tabla en que vaya a montar la cortina y una parte para el costado, agregando 5 cm (2") para las pestañas de las costuras y traslape. Corte el largo midiendo de la parte superior de la tabla en la que va a montarla hasta el largo deseado, agregando la profundidad de la tabla de montaje y 1.3 cm (1/2") para la pestaña. Corte la tela del frente y la del forro del mismo tamaño.

MATERIALES NECESARIOS

Telas para decoración para la cortina y el forro.

Tabla de montaje: para la parte exterior, la tabla debe extenderse por lo menos 2.5 cm (1") a cada lado del marco de la ventana y tener la profundidad suficiente para librar la ventana por 5 cm (2"). Para montarla dentro del marco de la ventana, corte 2.5 cm × 5 cm (1" × 2") para que ajuste dentro de la ventana.

Dos soportes para abrazadera o dos bloques de madera.

Dos escuadras de fierro para el montaje.

Engrapadora de tapicero y grapas.

Cómo coser una cortina con aletilla triangular

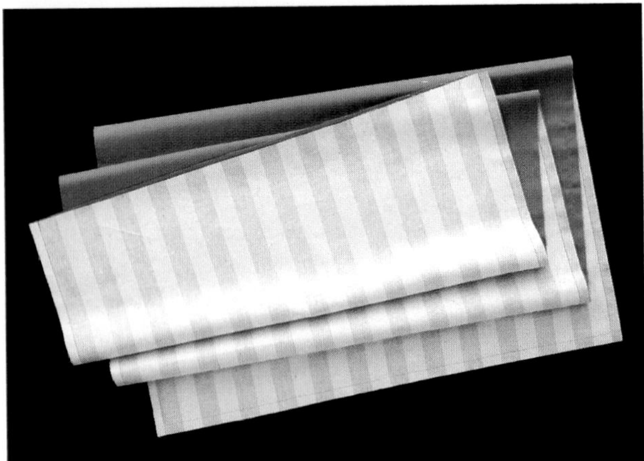

1) **Prenda** la tela al forro, juntando el derecho de ambas telas y cosa tres lados con una costura de 1.3 cm (1/2"), dejando abierto el lado superior.

2) **Planche** una pestaña hacia el forro para facilitar la formación de una orilla nítida. Recorte la pestaña en las esquinas. Voltee al derecho. Planche.

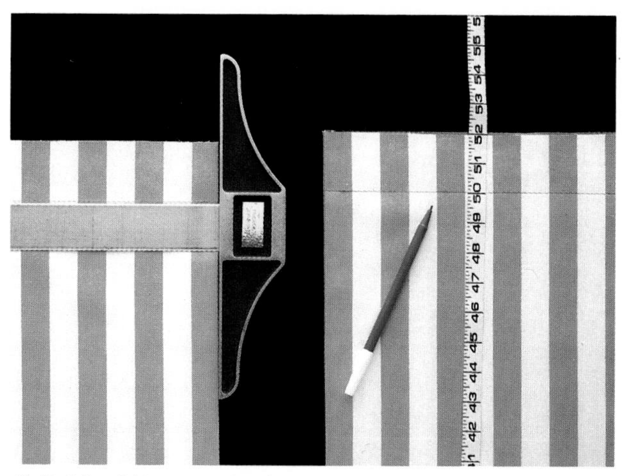

3) Señale el largo terminado en la parte superior de los lienzos, asegurándose de que ambos están exactamente del mismo tamaño y de que los lados forman una escuadra.

4) Alinee el largo del lienzo con la orilla del frente del armazón. Engrape la tela al armazón, comenzando en el costado. Haga un doblez diagonal en la esquina para formar un inglete. Los lienzos traslapan alrededor de 2.5 cm (1") en el centro.

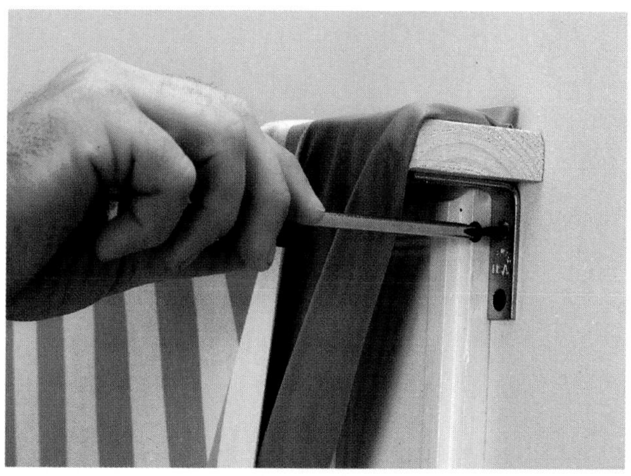

5) Coloque la tabla sobre las escuadras en la orilla del marco de la ventana.

6) Doble las orillas del frente de los lienzos hacia las orillas laterales y acomode la abertura. Mida para asegurarse de que están parejas en ambos lados.

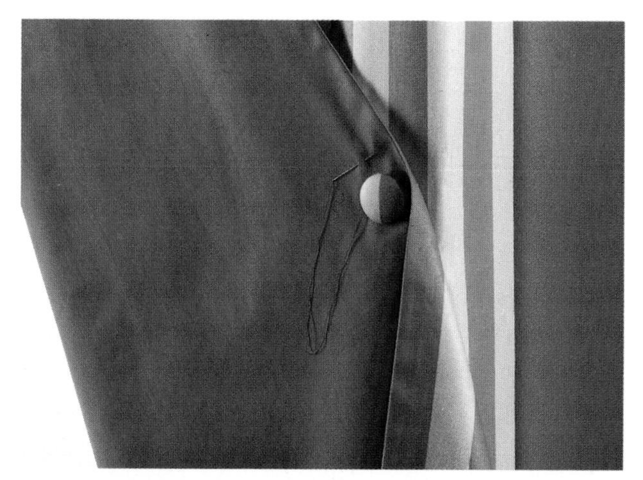

7) Cosa a mano las dos capas y agregue un botón decorativo o forrado. También puede coser a mano unos lazos en las orillas del frente y en las laterales. Para conservar la caída de la cortina en los costados, ate el lienzo a la armella para la abrazadera o a una ménsula fija al marco de la ventana y por detrás de los lazos.

Montaje interior. Corte los lienzos de la mitad del ancho acabado del armazón, más 2.5 cm (1"). Cosa siguiendo los pasos del 1 al 3. Coloque la persiana al frente del armazón. Doble la aletilla y fíjela al lado de la cortina. Cosa un anillo a un lado de la cortina por la parte de atrás y fije al gancho dentro del marco.

Galerías

Las galerías proporcionan un toque de confección especial tanto a los visillos como a las cortinas o persianas, que hacen de la ventana algo especial. Esta manera de arreglar las ventanas incluye abullonados, festones, guarniciones drapeadas, cenefas y galerías. Se pueden utilizar solas a fin de permitir que entre la mayor cantidad de luz o que no se obstruya la vista, o se las puede acompañar de un visillo o cortina que cubra una varilla poco atractiva, además de ser simplemente un toque decorativo.

El adorno de la parte superior de las ventanas no sólo se utiliza con cortinas y visillos, sino también con cortinas para regadera, minipersianas, persianas plegadas, celosías verticales o contraventanas a fin de suavizar la apariencia o coordinar telas o colores en la habitación.

Una galería puede resultar útil para disimular, ayudando a extender la altura visual de una ventana o hacerla aparecer más baja, dependiendo del estilo y colocación de la misma. Las galerías y cenefas pueden hacer que las ventanas que tengan diferente altura dentro de una misma habitación aparezcan uniformes. Cuando el espacio de paredes es limitado para el acomodo lateral de las cortinas, una galería puede por sí sola proporcionar un aspecto de acabado a la ventana sin gran esfuerzo.

La tela es importante para el aspecto. El mismo estilo puede confeccionarse en moaré o lino, el moaré es elegante para un aspecto sobrio y el lino resulta más casual para un aspecto informal. Una galería o cenefa recta por lo general es más sobria que una con pliegues, pero en una tela formal una plegada resulta igual de elegante.

Existen pocas reglas estrictas para las galerías, ya que ofrecen una excelente oportunidad para expresar la creatividad. Por lo general, el largo de la galería debe guardar proporción con el largo total de la ventana o la decoración de la misma. En general debe ser alrededor de una quinta parte del largo total de la decoración. Si se desea añadir altura visual a una habitación, puede colocarse desde el techo, o por lo menos varios centímetros (pulgadas) sobre la ventana.

Las galerías son simplemente cortinas, visillos o persianas cortas que se utilizan en la parte superior de una ventana. Pueden montarse por separado en una varilla o madera especial, dentro o fuera del marco de la ventana. Los armazones de madera se cortan de tablas de 2.5 cm (1"), con una profundidad desde la ventana de 5 a 12.5 cm (2" a 5") o más, según la medida del costado que tenga la bajocortina, visillo o persiana. Por lo general, las galerías son "suaves", en contraste con la "dureza" de las cenefas construidas de maderas laminadas.

Las galerías abullonadas no son sino variaciones de las persianas aglobadas o abullonadas, confeccionadas plegando la tela en dos varillas para cortinas. Las galerías con *abullonado doble* utilizan tres varillas. Para ventanas más altas y cabezales más profundos, también puede utilizar las varillas tipo Continental^(MR) para formar los abullonados.

Los festones son drapeados suaves de tela que van a lo ancho en la parte superior de la ventana. Normalmente se fijan a un soporte de madera, aunque se obtiene un aspecto más informal al plegar un festón sobre un barrote de madera o una varilla decorativa, llamándose entonces *guarnición drapeada* o *cascada*. Las primeras se pueden plegar, tablear o drapear en forma casual.

Las cenefas son cajas hechas a la medida, de madera, sin la parte de atrás, que cubren la parte superior de la ventana. Se les puede entintar, pintar o tapizar para que armonicen con la decoración de la ventana. La orilla inferior de la ventana se puede cortar derecha o darle alguna forma armoniosa.

Medición para hacer una galería

Si se quiere colocar una galería sobre las cortinas, agregue 10 cm (4") al ancho y 5 cm (2") a la profundidad de cada lado, a fin de dejar tela para los costados.

Si se trata de ondas, como la galería estilo austriaco o la abullonada, el punto más corto de la onda debe quedar 10 cm (4") más abajo de la parte superior del vidrio de la ventana y cubrir de 15 a 20.5 cm (6" a 8") de la parte superior de las cortinas.

Si la galería o cenefa no se montan en el techo, debe dejar por lo menos 10 cm (4") de espacio entre la parte superior de la cortina y la galería, para que quepan las ménsulas.

El adorno de la parte superior de una cortina debe quedar por lo menos 5 cm (2") más afuera de la cortina, a fin de librarla por completo. Por ejemplo, si utiliza una galería con una cortina, haga los costados de la galería de 14 cm (5½"), sobre el costado habitual de las cortinas de 9 cm (3½").

Galería abullonada

La galería abullonada se pliega sobre dos varillas para cortinas a fin de crear un tratamiento suave con frunces para la parte superior de la ventana.

Puede ser informal y sencilla en estampados de peso medio, pero si se confecciona en una tela transparente dará un aspecto elegante, en especial si se usa sobre visillos transparentes y cortinas. Esta galería también se puede montar sobre dos barrotes con tensión de resorte para usarse como galería sobre una cortina de baño.

Si se instala sobre las cortinas, la saliente de los barrotes debe quedar por lo menos 5 cm (2") más afuera que las cortinas. Para lograr que la galería se aleje de las cortinas, utilice barrotes que tengan por lo menos 2.5 cm (1") de diferencia en el costado. El costado más amplio se puede usar en la parte inferior para librar la cortina, o dejar el que tenga el ángulo menor en la parte de abajo, a fin de que la tela se abullone con mayor naturalidad.

Monte el barrote inferior a una distancia de la mitad de la galería. Por ejemplo, si se trata de una galería de 35.5 cm (14"), instale el barrote inferior a aproximadamente 18 cm (7") más abajo que el superior. Tal vez prefiera colocar el rodillo inferior después de acabar la galería, ya que cada tela se abullona de diferente manera.

✂ Instrucciones para cortar

Corte la galería de 2½ a 3 veces el ancho de la pieza terminada y dos veces el largo que calcula desde la parte superior del rodillo de arriba hasta el punto más bajo de la galería, para tener suficiente tela para el abullonado, las jaretas de los rodillos o varillas y el doble cabezal.

MATERIALES NECESARIOS

Tela para decoración para la galería.

Dos varillas planas para cortina con una diferencia en el costado de 2.5 cm (1"). En la parte superior puede utilizar una varilla Continental(MR).

Cómo coser una galería abullonada

1) Coloque la varilla superior. Para calcular el largo, pase una cinta de medir de la varilla hasta donde desee la cortina y regrese a la segunda varilla. La varilla inferior se colocó para indicar la posición.

2) Cosa los anchos de la tela juntos. Voltee al revés y haga dobladillos laterales dobles de 2.5 cm (1"). Voltee al revés 1.3 cm (½") y luego la tela necesaria para la jareta de la varilla y el cabezal. Cósalos.

3) Voltee al revés 1.3 cm (½") y luego la tela para la jareta de la orilla inferior de la galería; cosa. Inserte las varillas en las jaretas. Coloque la varilla inferior. Ajuste los abullonados.

Galería con abullonado doble

El abullonado doble es simplemente una repetición de la galería abullonada con un abullonado adicional cosido al centro. Estas cortinas requieren tres varillas para instalarlas y la del centro queda equidistante entre la superior y la inferior.

El abullonado doble puede cubrir hasta la mitad de la ventana. Si se usa sin cortina, también se puede colocar en barrotes de tensión por dentro del marco de la ventana. En la mitad inferior de la ventana puede utilizar contraventanas o cortinas del tipo usado en las cafeterías.

La longitud de corte no tiene que ser exacta porque la tela se abullona y es posible ajustar la distancia entre los rodillos. Si la tela parece demasiado caída y no se abullona tanto como le gustaría, utilice papel de baño ligeramente arrugado en los abullonados.

✂ Instrucciones para cortar

Corte la galería de $2\frac{1}{2}$ a 3 veces el ancho terminado y 2 veces el largo que haya calculado desde la parte superior de la varilla superior hasta el punto más bajo de la galería, para dejar suficiente tela para las jaretas de las varillas, el cabezal doble y el abullonado.

MATERIALES NECESARIOS

Tela para decoración para la galería.

Tres varillas planas para cortina o varillas de tensión.

Cómo coser una galería con abullonado doble

1) **Coloque** la varilla superior. Pase una cinta de medir para calcular el largo de los abullonados y obtener el largo total de la galería. Las varillas inferior y central se colocaron para indicar la posición.

2) **Cosa** los lienzos de tela, cosa los dobladillos laterales, las jaretas superior e inferior y los cabezales. Doble la galería a la mitad, con los lados derechos juntos; case las jaretas superior e inferior. Cosa la otra jareta a 3.8 cm ($1\frac{1}{2}$") del doblez.

3) **Meta** las varillas de la cortina en las jaretas, acomode la tela y coloque las varillas según lo desee. Arregle los abullonados.

Galería aglobada

La galería aglobada es una variación corta de la persiana aglobada con aglobados o festones suaves a lo largo de la parte inferior y la parte superior plegada. Se pueden plegar en un cortinero plano o en una varilla Continental(MR), utilizando cinta para plegar y fijándolos con ganchillos pasados a través de la cinta, metiéndolos en la varilla o fijándolos a una tabla de montaje.

Lo primero que debe saber es el número de ondas que va a hacer. Por lo general se separan de 23 a 38 cm (9" a 15"). Mida el ancho de la varilla de la cortina o tabla de montaje y divida entre el número de festones deseado. Si el número que resulta es mayor de 38 cm (15"), agregue otra onda y divida de nuevo. Esta cantidad es el ancho terminado de cada festón.

Determine el ancho terminado al punto más corto (consulte *Medición para hacer una galería,* página 53). Recuerde que la onda va a quedar más abajo de este punto. Si va a confeccionar una galería aglobada con holán, incluya el largo terminado del holán en sus medidas.

✂ Instrucciones para cortar

Corte la tela de 2 ó 3 veces el ancho de la varilla. Al largo terminado, agréguele 30.5 cm (12") para el aglobado en la orilla inferior; aumente una pestaña para el cabezal doble y la jareta de la varilla, más 1.3 cm (½") para voltear hacia el revés.

MATERIALES NECESARIOS

Tela para decoración para la galería.

Cinta para persiana o cinta de anillos, con un largo total igual al número de aglobados que desee, más uno, por las veces que corte el largo de la galería.

Varilla plana para cortina o varilla Continental(MR).

Barrote de madera para dar peso, del ancho de la galería terminada.

Cómo coser una galería aglobada

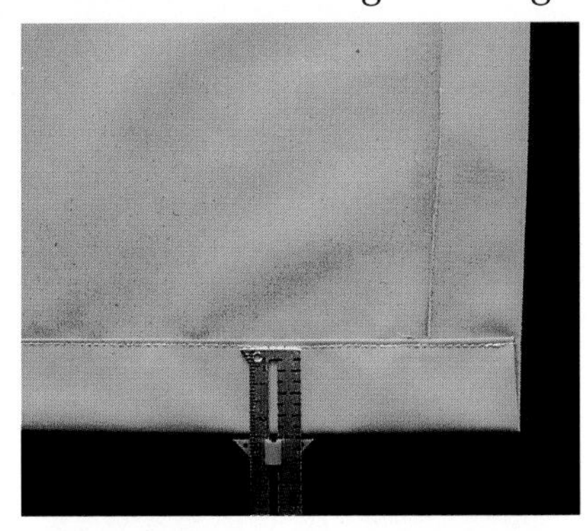

1) Cosa la tela para dejarla del ancho requerido, si es necesario. Voltee al revés y planche los dobladillos laterales de 2.5 cm (1"). Cosa un dobladillo inferior doble de 2.5 cm (1").

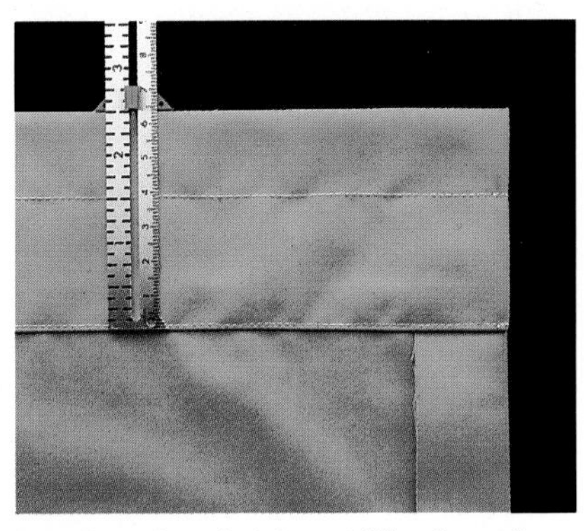

2) Voltee al revés 1.3 cm (1/2") y luego la tela necesaria para la jareta de la varilla y el cabezal. Para una jareta de 3.8 cm (1 1/2") y un cabezal de 2.5 cm (1"), voltee 6.5 cm (2 1/2") de la tela al revés. Cosa el primer doblez y luego 3.8 cm (1 1/2") para la jareta.

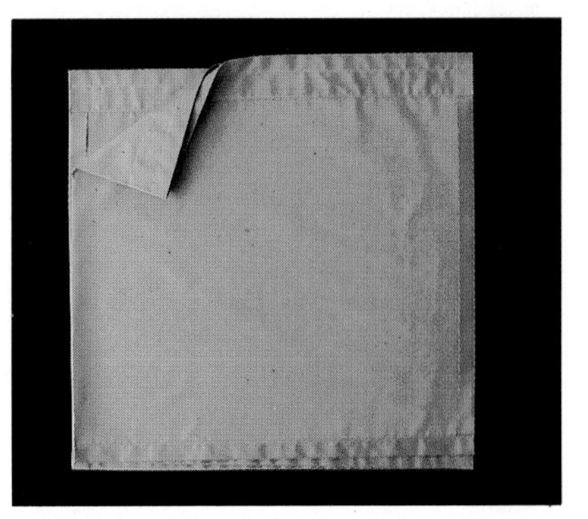

3) Divida el ancho entre el número de ondas. Por ejemplo, si el ancho dobladillado mide 183 cm (72"), el ancho de cada onda, si pone tres, antes de plegar será de 61 cm (24"). Señale tanto en la parte superior como en la inferior de la galería.

4) Corte la cinta de argollas y colóquela a los lados y en cada señal, con los dobleces de la cinta o los anillos parejos con la orilla del dobladillo superior. Cosa ambos lados de la cinta en la misma dirección. Utilice el prensatelas para cierres, para coser la cinta de argollas.

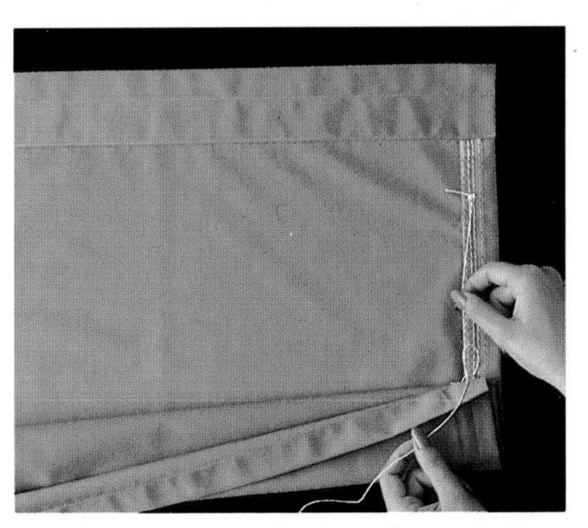

5) Jale los cordones hacia arriba en la cinta de argollas y ate los cordones con nudo llano para crear un abullonado en la parte inferior de la galería.

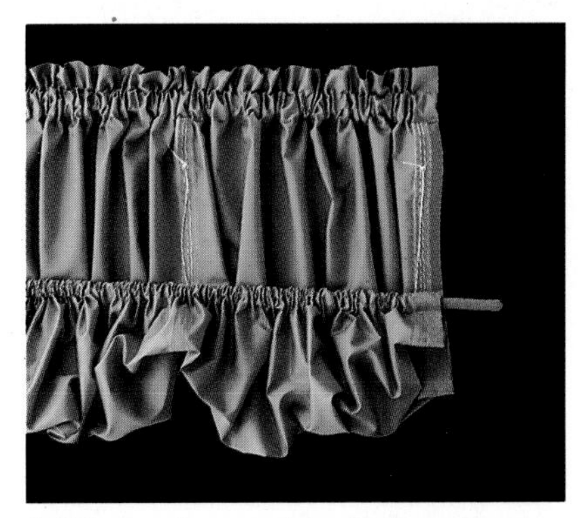

6) Cubra un barrote delgado de madera con tela del mismo color para utilizarlo como contrapeso. Inserte el barrote en el dobladillo inferior. Este barrote no es indispensable, pero la galería cuelga mejor ya que sin ella el abullonado queda más suelto.

Cómo coser una galería aglobada con holán

1) Corte un holán del doble de la orilla inferior de la galería y el doble del ancho del holán terminado más 2.5 cm (1"). Doble por la mitad a lo largo. Acabe las orillas con un dobladillo angosto. Para fruncir, haga una costura de zigzag sobre un cordón o utilice un plegador o accesorio para fruncir.

2) Planche al revés los dobladillos laterales de la galería en 2.5 cm (1"). Cosa el holán por el derecho de la galería con una costura de 1.3 cm (1/2"), doblando hacia el frente el dobladillo lateral sobre el holán. Haga costura de zigzag o utilice overlock.

3) Siga los pasos del 2 al 5 indicados anteriormente para acabar la galería aglobada con holán. Sujete el barrote con puntadas a mano en cada onda. El holán plegado se acomoda solo bajo la orilla inferior de la galería.

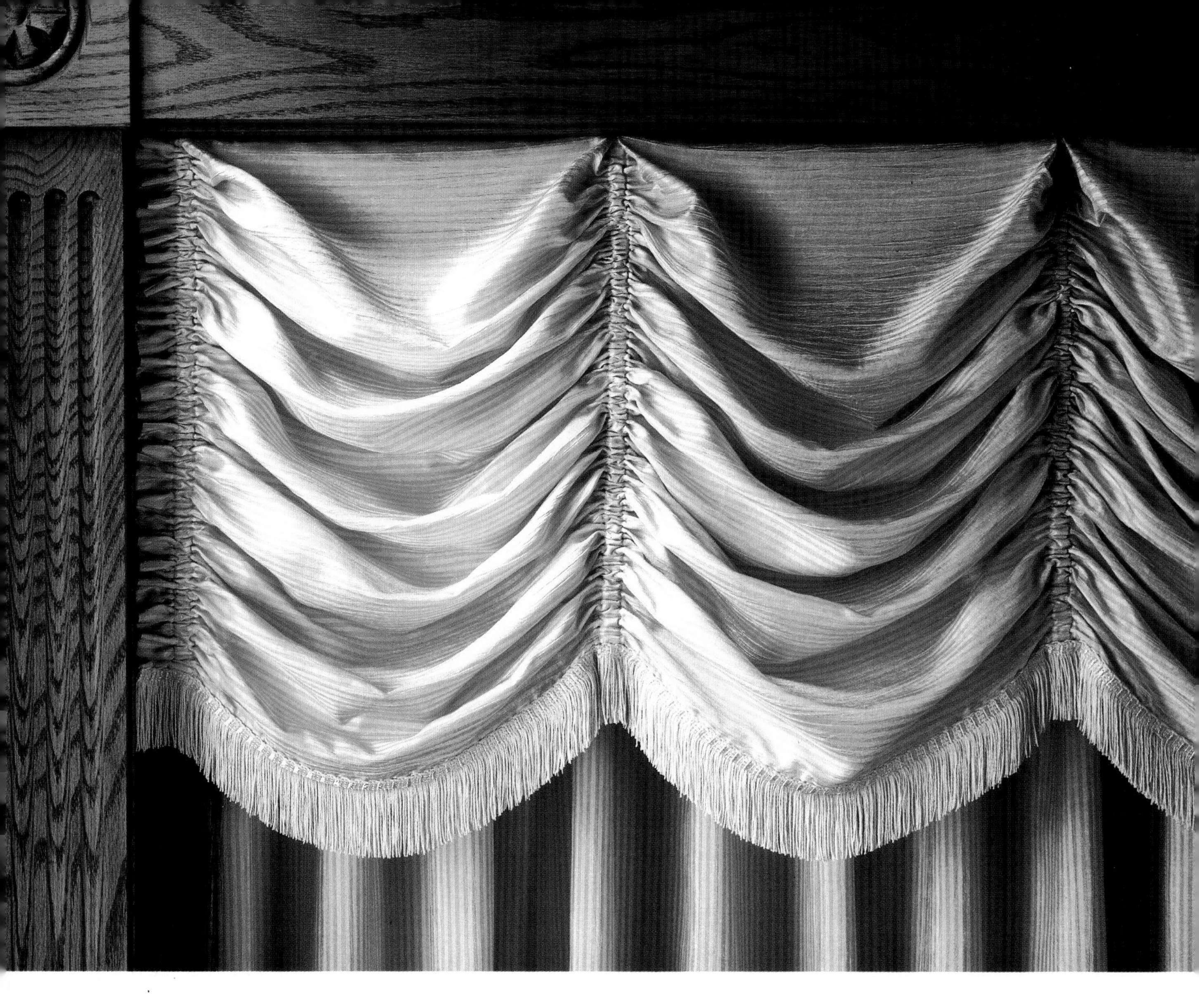

Galería estilo austriaco

La galería estilo austriaco es una versión más corta de la elegante persiana estilo austriaco, que se caracteriza por las hileras verticales de pliegues, los frunces horizontales y las ondas suaves de la orilla inferior. Las telas transparentes y suaves resultan mucho mejores para este adorno, que con frecuencia se adorna con flecos. La galería no se forra, para que se pliegue y ondule en forma elegante.

Puede poner cualquier número de ondas a lo ancho de la orilla inferior, pero generalmente miden de 20.5 a 30.5 cm (8" a 12") entre una y otra. Esta medida puede variar si la ventana es más ancha o más angosta. Para determinar el ancho ya terminado de cada onda, divida el ancho de la tabla en que va a montarla entre el número de ondas que desea.

Cuando se va a montar por el lado de afuera de la ventana, deberá cubrir la tabla de montaje con la misma tela. La galería también se puede colocar por el interior del marco de la ventana.

✂ Instrucciones para cortar

Corte la tela de 1½ veces el ancho de la tabla de montaje y 2½ veces el largo ya terminado. La tela transparente se cortará 3 veces el largo. Si es necesario unir varios lienzos, procure que las costuras queden en las líneas de pliegue.

MATERIALES NECESARIOS

Tela para decoración para la galería y, si lo desea, para la tabla de montaje.

Dos cintas de plegar con cordones, del largo de la galería cortada (más un largo adicional para el acabado), el número de ondas más uno.

Cinta de algodón de 2.5 cm (1") de ancho, que mida lo que tenga de ancho la galería terminada más 2.5 cm (1").

Adorno opcional, del ancho de la galería cortada más lo necesario para el acabado.

Tabla para montar, de 2.5 × 5 cm (1" × 2"), engrapadora de tapicería, grapas, chinches o tachuelas.

Dos ménsulas para el montaje.

Bastón delgado de madera para peso, del ancho de la galería terminada.

Cómo coser una galería estilo austriaco

1) Cosa el ancho de la tela si es necesario. Planche hacia abajo 3.8 cm (1½") de cada lado. Para adornar la orilla inferior, planche al *derecho* 1.3 cm (½") de la parte de abajo de la cortina. Prenda con alfileres el fleco sobre la orilla cortada y cosa. Si desea una galería sin adorno, haga un dobladillo doble de 2.5 cm (1").

2) Divida el ancho cortado entre el número de ondas. Por ejemplo, si el ancho dobladillado es de 183 cm (72") y desea cuatro ondas, el ancho de cada una antes de plegar es de 46 cm (18"). Haga marcas tanto en la orilla superior como en la inferior.

3) Prenda la cinta de dos cordones para plegar de la parte inferior hacia la orilla superior, siguiendo cada marca. Coloque la cinta a 2.5 cm (1") de las orillas para cubrir las orillas cortadas. Cosa ambas orillas de la cinta en la misma dirección.

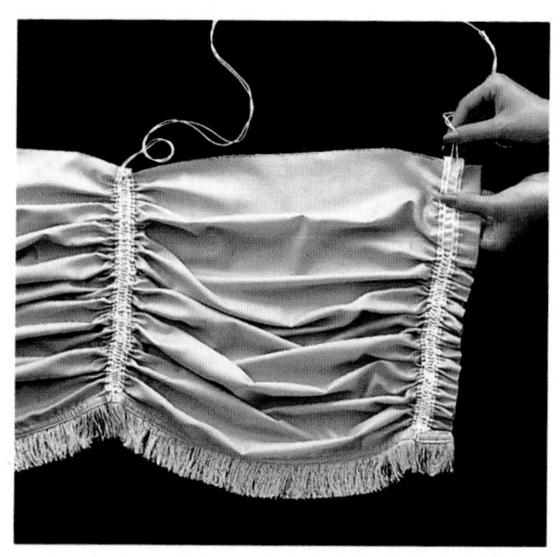

4) Ate los cordones en la parte inferior para que no se salgan y jale los cordones de la cinta de plegar desde arriba, dejando todos del mismo largo. Ate los extremos de los cordones.

5) Marque el armazón para que iguale el ancho de las ondas *terminadas*. La galería es más ancha que el armazón. Ponga cinta en las marcas y clávela. Divida la tela restante en ambos lados de las marcas, plise y marque los pliegues.

6) Quite la galería del armazón. Cosa cinta de sarga sobre la orilla para acabar la orilla superior y para usarla para el montaje.

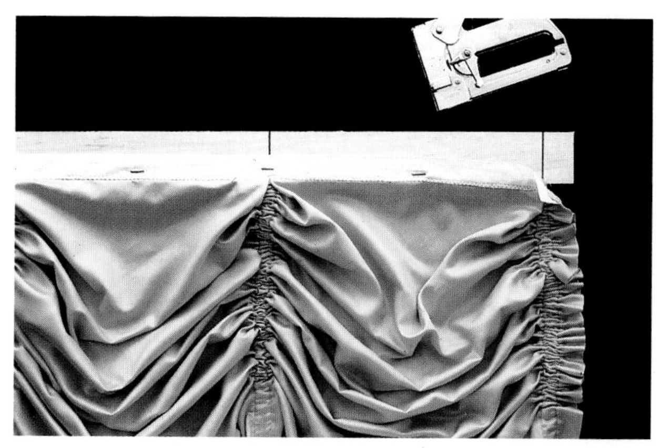

7) Fije con grapas o tachuelas la cinta de sarga en la parte superior del armazón. Coloque las grapas a 15 cm (6") de distancia entre sí.

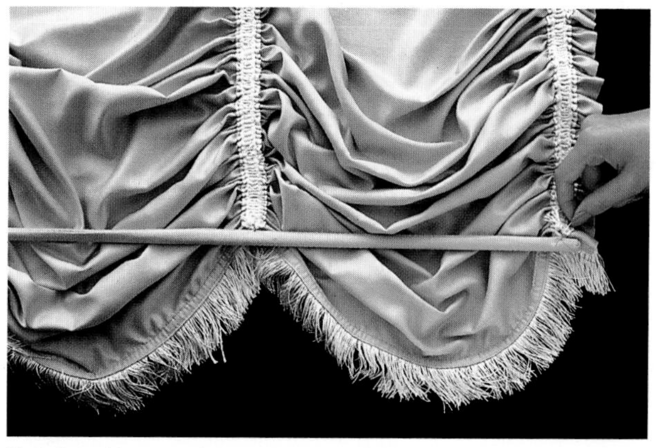

8) Cubra el barrote de madera con tela del color de la cortina. Fíjela con puntadas a mano al revés de la galería, por las cintas de pliegues.

Galería en disminución

La graciosa curva de una galería en disminución enmarca una ventana en suaves pliegues de tela. Esta galería se utiliza frecuentemente sobre minipersianas y sobre persianas plegadas a fin de suavizar las líneas severas, o también se usa con medias cortinas para proporcionar un aspecto de informal comodidad. Las galerías en disminución generalmente se forran cuando se emplean telas estampadas, puesto que el revés de la tela se ve conforme cae lateralmente al lado de la ventana. Si la orilla inferior tiene un acabado con holán, ésta no tiene que forrarse porque el holán al caer oculta el revés de la tela. Las telas ligeras o transparentes también resultan una buena elección para una galería con holán y no requieren forro.

El largo lateral puede ser hasta el antepecho de la ventana o un poco más abajo, pero no debe ser menor que un tercio del largo de la ventana. Para asegurarse de que la curva sea la adecuada, tal vez desee cortar un patrón de papel o simularlo con sábanas viejas o tela de forro.

✂ Instrucciones para cortar

Corte la tela y el forro al doble del ancho de la varilla. Para calcular el largo, mida en el punto más largo y agregue la medida suficiente para la jareta de la varilla y el cabezal más 2.5 cm (1") para la pestaña y lo que se voltea al revés. Cuando haga una galería sin forrar con holán, utilice 2½ veces el ancho de la galería. Reste el largo del holán al largo de la galería terminada. El holán debe medir 2 veces el largo de la curva y el ancho ya terminado más 2.5 cm (1"). Cosa la tela conforme lo necesite. Mida la curva después de cortar la galería o haga una prueba en manta y mídala.

MATERIALES NECESARIOS

Tela para decoración de la galería.

Forro para la galería.

Cortinero plano o varilla Continental(MR)

Cómo coser una galería en disminución

1) Cosa los lienzos de tela que sean necesarios. Divida y marque verticalmente la tela en tres partes. Doble por la mitad. Señale en el centro el largo terminado más 1.3 cm (½"). En un lado, marque la profundidad del costado. Trace una línea recta desde la marca del costado hasta el tercio más próximo, señalado al centro en el largo terminado.

2) Redondee la esquina superior formando una curva suave, repita lo mismo para la esquina inferior en el costado. Prenda ambas capas de tela y córtelas como si fueran una sola. El tercio del centro es recto. Corte el forro utilizando la misma galería como patrón.

3) Coloque el derecho del forro y el de la galería juntos. Haga una costura de 1.3 cm (½") alrededor de la galería, dejando la orilla superior abierta.

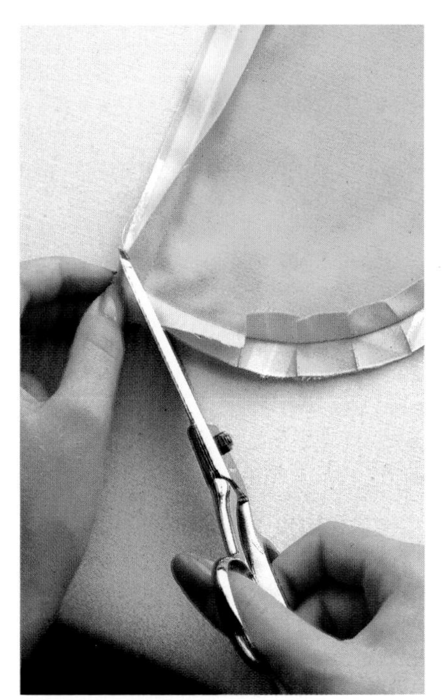

4) Planche la pestaña de costura del forro hacia éste. Recorte la curva. Corte las esquinas en diagonal.

5) Voltee el derecho hacia afuera. Doble al revés la tela para coser la jareta y el cabezal. Inserte la varilla en la jareta.

Galería sin forrar con holán. Cosa dobladillos laterales dobles de 2.5 cm (1") en la galería. Voltee al revés y cosa la jareta para la varilla y el cabezal. Haga un holán y cósalo siguiendo las instrucciones de la página 107.

Festones y guarniciones drapeadas

Un *festón* clásico es un drapeado en pliegues suaves de una tela para utilizarla como galería, con lienzos laterales tableados o plegados. Los paneles laterales de la galería son las *guarniciones drapeadas* o *cascadas.*

El número de festones se determina por los gustos personales y el ancho de la ventana. Cada onda, por lo general, no debe ser más ancha de 102 cm (40"). Este tamaño se puede adaptar a cualquier tamaño de ventana al aumentar o disminuir el traslape de las ondas que queden juntas, como se muestra en la página 52. El largo de un festón es por lo general de 38 a 51 cm (15" a 20") en el punto más largo del centro. Si las ventanas son angostas, las ondas pueden ser menos amplias.

El largo de la guarnición lateral debe ser alrededor de un tercio de la cortina o largo de la ventana, o debe quedar en un punto que la haga atractiva, como el antepecho de la ventana o el piso. La medida más corta debe quedar abajo del centro del festón. Las guarniciones plegadas tienen de 23 a 28 cm (9" a 11") de ancho. Las plisadas son más formales que las plegadas, que tienen menos control en la forma. Aquí se proporcionan instrucciones para confeccionar la guarnición con tablones, pero las técnicas de corte y costura son básicamente las mismas para una guarnición plegada. Para plegarla, cosa en zigzag sobre un cordón y jálelo hasta tener el ancho deseado.

Para montarlos por fuera de la ventana, fije los festones y las guarniciones a una cenefa o armazón de montaje, colocado 10 cm (4") por encima de la moldura si la va a usar sola, ó 10 cm (4") por encima de la varilla de la cortina en caso de ponerla sobre las cortinas. Los costados de la cenefa deben tener suficiente amplitud para librar la cortina. Los costados de la guarnición son del mismo ancho que los de la cenefa o armazón. En las casas con molduras bonitas, pueden colocarse las guarniciones dentro de los marcos de la ventana sobre una tabla que ajuste en la parte inferior del marco, sin costados.

Confeccione un festón de prueba para utilizarlo como patrón para cortar la tela de decoración. Utilice manta o una sábana vieja que forme pliegues suaves. Esto le da la oportunidad de experimentar y determinar el aspecto que desea. No dude en plegar la manta y prenderla en diferentes posiciones hasta que encuentre el aspecto que desea.

Para cada guarnición necesita un ancho de la tela de decoración y forro del largo de la guarnición más 2.5 cm (1"). Para cada festón necesita 95 cm (1 yarda) de tela para decoración y forro, si la medida de la cinta plegada, a la izquierda, es menor que el ancho de la tela. Si la medida ya plegada es mayor que el ancho de la tela, necesitará 1.85 m (2 yardas).

MATERIALES NECESARIOS

Manta o una sábana vieja para una onda de muestra.

Tela para decoración y forro para los festones y guarniciones.

Cinta de algodón ancha, del ancho de la tabla del armazón más dos veces el largo de los costados.

Un armazón de madera o cenefa; engrapadora de tapicería.

Cómo calcular el tamaño de un festón

Acomode una cinta de medir o cordón de modo que simule la forma de cada festón. Si desea festones dobles, utilice dos cintas de medir.

Cómo cortar festones y guarniciones drapeadas

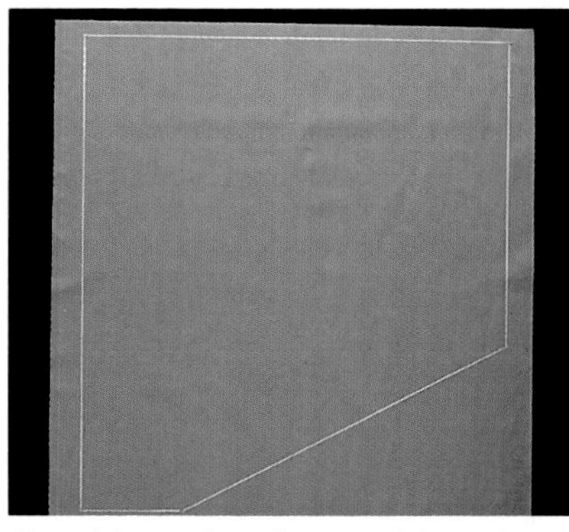

Guarniciones. Corte las guarniciones de tres veces el ancho deseado más el costado y 2.5 cm (1") para costuras. De un lado, señale el punto más corto más 2.5 cm (1"). Del otro, señale la punta más larga más 2.5 cm (1"). Desde el punto más largo, mida el ancho del costado agregando 1.3 cm (1/2"). Una las señales.

El festón. Para el festón de prueba, corte un lienzo de manta de 91.5 cm (36") de largo. El ancho se corta con la medida de la cinta de medir que usó como prueba (izquierda), agregándole 5 cm (2") de cada lado para los ajustes finales. Señale el ancho de la ventana, centrando las señales en la parte superior de la tela. En la orilla inferior, señale el ancho desde la cinta de medir. Una las señales formando líneas diagonales. Divida cada línea guía igualmente en un espacio más que el número de pliegues deseado y señale. Por ejemplo, para cinco pliegues, divida en seis espacios.

Cómo hacer un festón de prueba como patrón

1) Doble la manta sobre la primera señal de la línea diagonal y jale el pliegue hasta la señal de la esquina superior. Prenda a la tabla de planchar. Siga prendiendo los pliegues señalados hacia las esquinas, alternando los lados y conservando recta la orilla superior.

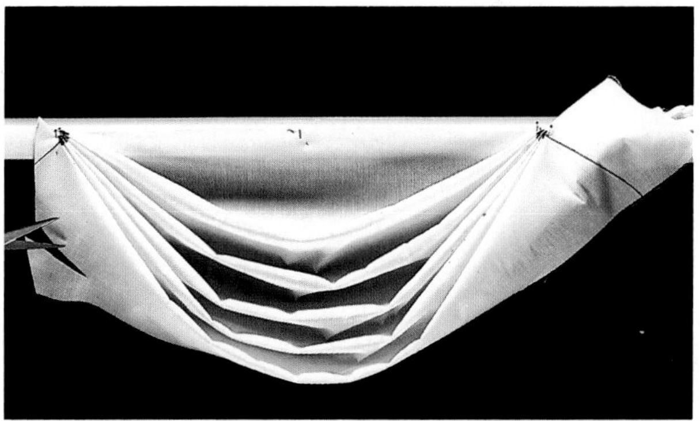

2) Revise los pliegues y acomode los alfileres en éstos conforme sea necesario. Una vez acomodados los pliegues en la forma deseada, recorte la tela sobrante a 2.5 cm (1") de las orillas exteriores y a lo largo de la orilla inferior curva a aproximadamente 7.5 cm (3") del último pliegue.

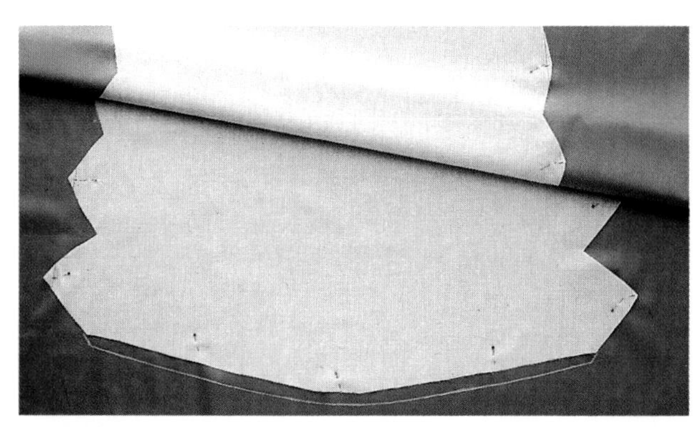

3) Quítele los alfileres a los dobleces. Doble por la mitad a lo largo para cerciorarse de que está simétrica y pareja. Haga los ajustes en las líneas de corte y utilícela como un patrón para cortar el festón y el forro. Agregue 1.3 cm (1/2") de pestañas para costuras en las orillas superior e inferior. Este festón no se acaba en las orillas, ya que se monta bajo la guarnición.

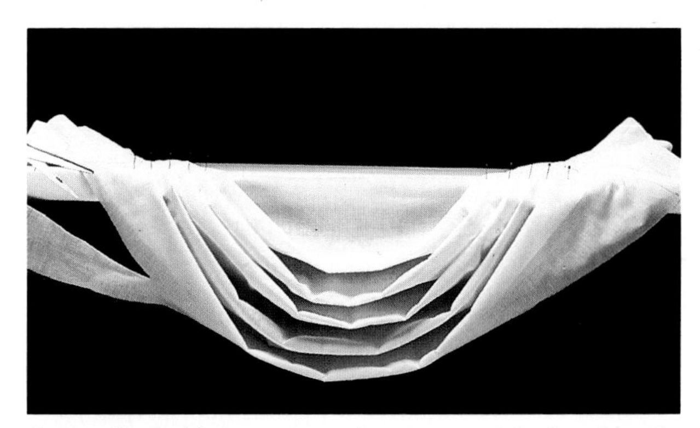

Otro estilo. Doble la manta por la primera señal y lleve los pliegues hacia el armazón de montaje aproximadamente 12.5 cm (5") de las orillas. Doble cuidadosamente y repita la operación, llevando cada doblez hacia arriba y ligeramente afuera hacia el final del armazón. El festón se cose en las orillas y se puede colocar sobre la guarnición o debajo de ésta.

Cómo coser un festón

1) Prenda el forro al festón, con los derechos de las telas juntos, siguiendo la orilla inferior curva. Cosa la orilla curva, dejando una pestaña de 1.3 cm (1/2"). Planche la pestaña del forro hacia éste. Voltee el derecho hacia afuera y planche la orilla cosida.

2) Prenda el frente y el forro juntos por los tres lados restantes y cosa las orillas con overlock o zigzag para unirlas.

3) Prenda los tablones en su lugar. Debe doblar por la orilla exterior de cada muesca.

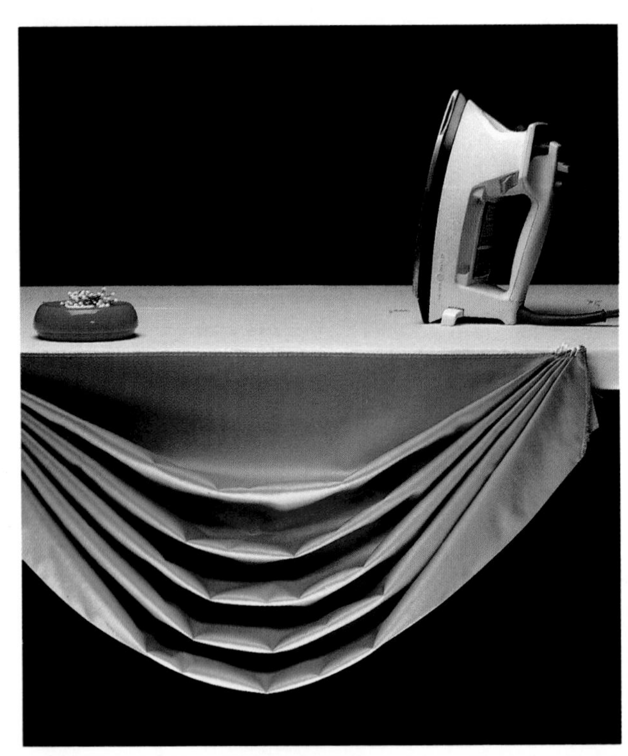

4) Revise los dobleces del festón de nuevo prendiéndolo a la orilla del burro de planchar o al armazón de montaje. Haga los ajustes que sean necesarios.

5) Haga una costura a través de todos los dobleces para sostener los pliegues en su lugar.

Cómo coser guarniciones drapeadas

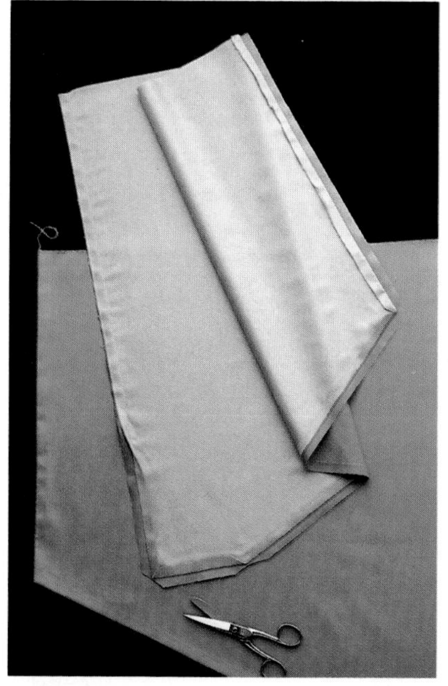

1) Coloque el forro de la guarnición y la tela juntando los derechos de las telas y cosa los lados y parte inferior dejando una pestaña de 1.3 cm (1/2"). Planche la pestaña del forro hacia éste. Recorte las esquinas y voltee el derecho hacia afuera. Planche las orillas cosidas. Cosa juntas las orillas superiores, dejando una pestaña de 1.3 cm (1/2"). Una las orillas cortadas con zigzag u overlock.

2) Coloque la guarnición con el revés hacia arriba sobre una superficie plana. Doble los lados hacia el costado y planche en su lugar. Voltee al derecho.

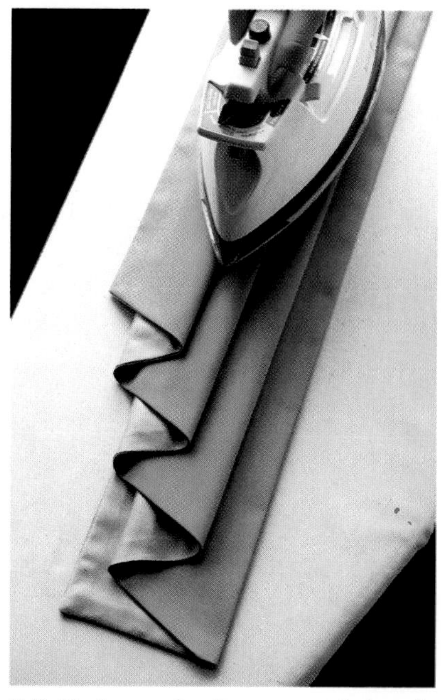

3) Doble formando pliegues espaciados a la misma distancia, comenzando por la orilla exterior y planche a vapor en su lugar. Pliegue la otra guarnición en dirección opuesta. Revise los pliegues colgando la guarnición sobre la orilla del burro de planchar. Haga una costura a 1 cm (3/8") de la orilla superior para sostener los pliegues en su lugar.

Cómo fijar los festones y guarniciones drapeados a un armazón

1) Centre el festón sobre el armazón o cenefa con la orilla superior cubriendo 1.3 cm (1/2") de la orilla de la tabla. Engrape a la tabla a intervalos de 15 cm (6").

2) Coloque la parte superior de un festón al final de la tabla de montaje, con el pliegue planchado en la esquina. Engrape el costado en su lugar. Coloque los pliegues sobre la tabla, traslapándolos sobre el festón. Doble hacia abajo la tela sobrante y engrape.

3) Cubra las orillas de la tela con cinta de sarga ancha. Engrape ambas orillas, formando un inglete en las esquinas.

Cenefas acolchonadas

Una cenefa es un marco de madera pintado o cubierto de tela que se utiliza como una galería sobria. Cuando se cubre con tela, se acolchona con hule espuma o poliéster bondeado para redondear las esquinas y proporcionar un aspecto suave y tapizado.

La cenefa no sólo enmarca una ventana y oculta la instalación de la cortina, es muy útil para ahorrar energía porque evita que el aire frío entre en la habitación, de manera que tiene buenas propiedades como aislante; también constituye un acabado muy estético para rematar la parte superior de la decoración.

Por lo general, las cenefas se hacen a la medida para que se ajusten a la ventana. Se requiere muy poca habilidad en la carpintería para poder hacer una cenefa de madera laminada o con tablas de pino. Cualquier imperfección en la carpintería se cubre con el acojinado y la tela.

Mida el marco exterior de la ventana después de colocar los cortineros y soportes en su lugar. La cenefa debe librar el visillo o cortina a la altura del cabezal por lo menos con 7.5 cm (3") y se extenderá por lo menos 5 cm (2") por fuera de la cortina a cada lado. Las medidas que se toman son las de la parte *interior* de la cenefa. Tenga presente el grueso de la madera al cortar.

La cenefa debe cubrir completamente los cabezales de las cortinas y los cortineros y soportes. Por lo general, siga los mismos lineamientos respecto a la altura que seguiría para cualquier otra galería. La cenefa debe tener por lo menos una quinta parte de la altura de la decoración total de la ventana.

Utilice cordón contrastante alrededor de las orillas superior e inferior para que destaque al cubrirla con la misma tela de la cortina.

Al calcular la tela, atraviésela a lo ancho de una sobreventana para eliminar las costuras en las telas lisas. Si no puede poner la tela a lo ancho porque tiene un dibujo direccional, coloque las costuras en los lugares menos visibles, nunca en el centro. Los estampados siempre se deben centrar y colocar simétricamente.

✂ Instrucciones para cortar

Para la parte del frente, corte la tela de decoración 15 cm (6") más ancha que la medida del frente más los lados y, a la altura de la cenefa, agréguele 7.5 cm (3"). Corte una tira de 10 cm (4") para el forro interior de la misma tela de decoración, que tenga el mismo ancho que la parte frontal. Corte una tira de la tela del forro del mismo ancho que la parte frontal, y del mismo largo que la cenefa.

Corte una tira de guata o hule espuma que cubra el frente y los lados de la cenefa.

Forre el cordón, página 111, paso 1, para que el acordonado mida un poco más que la distancia alrededor de la orilla inferior.

MATERIALES NECESARIOS

Tela para decoración y forro para cubrir la cenefa, tiene la opción de utilizar una tela que armonice o una contrastante para el cordón.

Para hacer la cenefa, utilice madera laminada de 1.3 cm (1/2") para el frente, parte superior y costados, pegamento para carpintero y clavos sin cabeza de 2.5 cm (1").

Para acojinar la cenefa, necesita poliéster bondeado de 2.5 cm (1"), guata de tapicería o hule espuma de 1.3 cm (1/2"). Si no los puede conseguir en las tiendas locales, tal vez los obtenga mediante un tapicero o en una tienda que venda materiales para tapiceros.

Cordón de 4 mm (5/32") ligeramente más largo que la medida necesaria para poner el cordón.

Cartón de tapicería para cubrir la orilla inferior y los costados, engrapadora de tapicería, grapas de 1.3 cm (1/2") y de 6 mm (1/4"), espuma adhesiva en rociador y ménsulas para montar.

Cómo construir una cenefa

1) Mida y corte la parte superior para que corresponda a las medidas interiores para que libre las varillas. Corte el frente del mismo ancho que la parte superior y de la altura deseada. Los lados se cortan del mismo alto que la cenefa y de la profundidad de la parte superior, más los gruesos de la madera chapeada.

2) Pegue la parte superior a la tabla del frente, recordando qué orillas se sobreponen. Clave para asegurar la pieza. Después pegue los lados en su lugar para sostenerlos y asegurarlos posteriormente con clavos.

Cómo acojinar y forrar una cenefa

1) Cosa los cordones forrados por el lado derecho de la pieza frontal, con una costura de 1.3 cm (1/2"), igualando las orillas cortadas. Cosa la orilla con el ribete de cordón a la tira interior del forro; cosa la orilla libre de la tira interior al forro. Doble la pieza del frente a la mitad para señalar el centro tanto arriba como abajo.

2) Señale el centro de la cenefa en la parte superior e inferior. Coloque el revés de la tela que cubrirá el frente por la parte exterior de la cenefa, con la costura acordonada por la orilla frontal de aquella; haga casar las marcas al centro y fíjela.

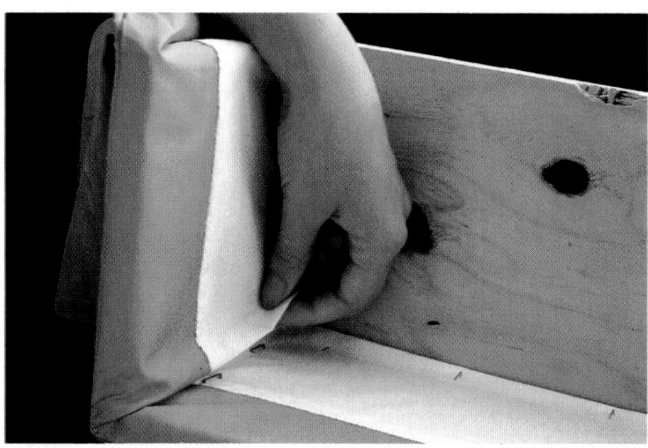

5) Doble el forro hacia el interior. Doble la orilla cortada hacia abajo y engrape en la esquina en que se encuentran la parte superior y el frente. Forme un inglete en las esquinas inferiores y engrápelas cerca de la esquina. Acomode la tela sobrante en las esquinas superiores y engrape.

6) Lleve el ribete sobrante hacia la parte de atrás de la cenefa y recórtelo hasta dejar sólo 2.5 cm (1"). Corte el cordón al ras de la orilla de la madera. Engrape el forro al final de la madera. Recorte el forro sobrante. Engrape el cordón en la parte que queda hacia la pared.

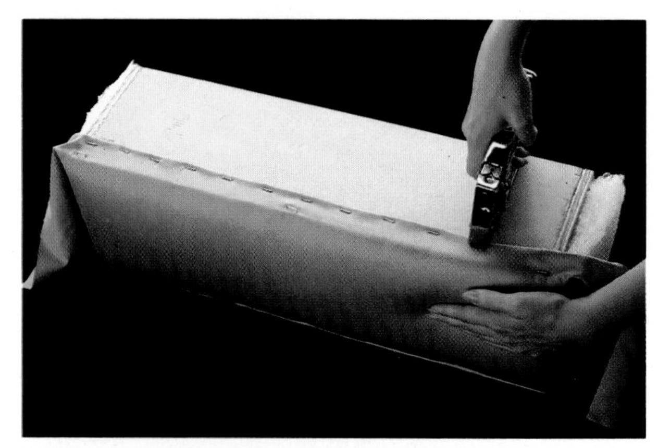

9) Engrape, mientras mantiene tensa la tela, el centro y los extremos. No estire demasiado. Comenzando al centro, voltee hacia abajo la orilla y engrape en los extremos, colocando las grapas con una separación de 3.8 cm (1 1/2"), alisando la tela conforme lo hace.

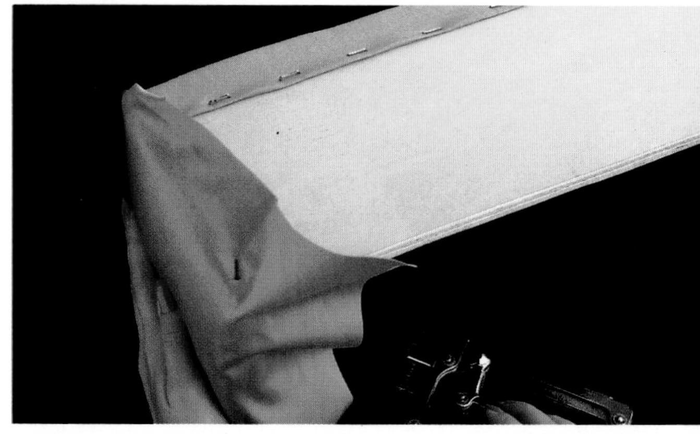

10) Jale la tela alrededor de la esquina hacia la parte superior trasera de la esquina, alisando el sobrante y engrape. Doble la tela lateral hacia la orilla trasera y engrape. Recorte la tela sobrante en la esquina trasera.

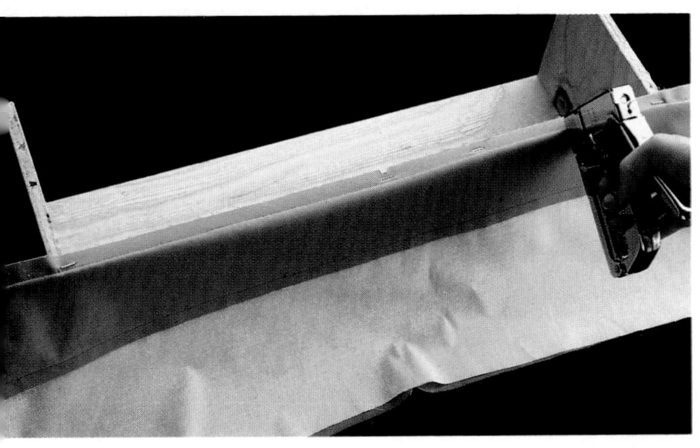

3) Estire la tela en las esquinas y engrape. Engrape cada 10 cm (4") del centro hacia las orillas. Voltee el forro hacia atrás para cerciorarse de que el ribete está derecho.

4) Coloque una tira de cartón, apretándola hacia la costura del ribete. Engrape cada 2.5 cm a 3.8 cm (1" a 1½"). Corte y traslape recortando las esquinas.

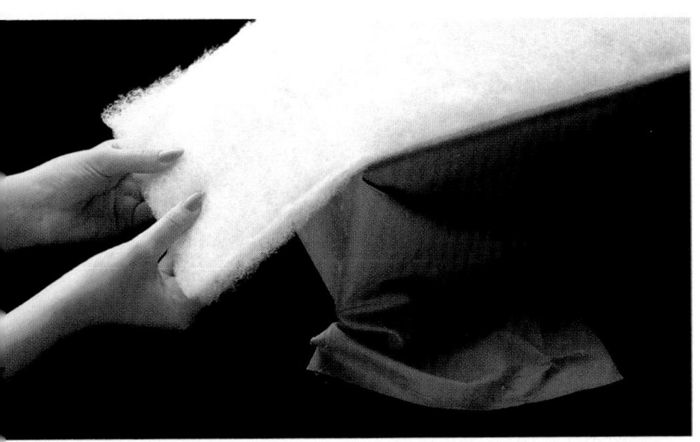

7) Voltee el armazón con el frente hacia arriba. Ponga adhesivo al frente y en los lados. Coloque el material para acojinado sobre la superficie con el pegamento y estírelo ligeramente hacia los extremos. Deje que pegue.

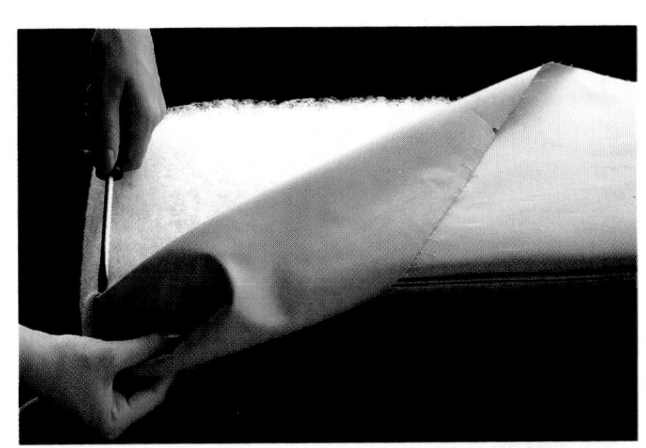

8) Doble el derecho de la tela sobre el frente del armazón. Utilice un desarmador para acomodar el acolchado en las esquinas. Alise cuidadosamente la tela hacia la parte superior del armazón.

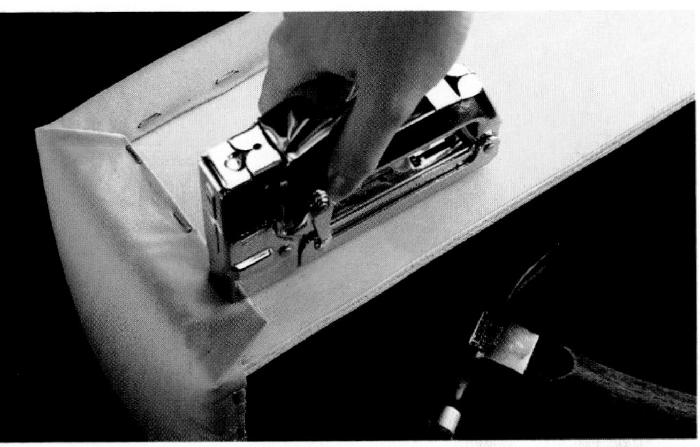

11) Doble la tela diagonalmente en la esquina para formar un inglete. Engrape en la esquina y a los lados. Si la tela es voluminosa, golpéela con un martillo. Repita en ambas esquinas.

Orilla superior con ribete acordonado. Engrape el acordonado a los lados y al frente, colocando la costura en la orilla. Coloque la tela encima de la parte frontal, sobre el ribete acordonado, juntando el lado derecho de ambos y dejando las orillas cortadas al ras. Engrape una tira de cartón al frente y en las orillas laterales como en el paso 4 que se indica arriba. Lleve la tela a la parte superior de la cenefa estirándola y doble hacia abajo en los lados y parte de atrás. Engrape cerca de los dobleces.

La cama y el baño

Qué coser para la recámara y el cuarto de baño

Con frecuencia pensamos en la recámara y el cuarto de baño como un conjunto por la coordinación de telas y colores. Esta área también se presta para que usted pruebe sus habilidades en labores manuales, pues las telas que se utilizan para estas habitaciones son fáciles de manejar. Aunque una sobrecama, colchoneta o cortina de baño son voluminosas, requieren pocas medidas y las costuras rectas y dobladillos se cosen con facilidad.

Iníciese con una cortina de baño con galería coordinada. Complete el decorado con un faldón para el lavabo y toallas adornadas. Coordine el guardapolvo con cubrealmohadas simulados y la funda de la colchoneta. Cuando pliega la orilla superior e inferior de un guardapolvo le da un toque perfecto. La misma técnica puede utilizarse en menor escala, haciendo un ribete en el cubrealmohada simulado. Como toque final, forre la cabecera con tela. Para un sofá-cama, una cubierta sobria con guardapolvo resultará práctica si el sofá-cama se usa para descanso.

Cómo medir la cama

Mida la cama tendida con los cobertores y sábanas que normalmente usa. Estas medidas son mayores que las del simple colchón, pero con esto asegura que el cubrecama no quede corto y ajuste perfectamente.

Mida de un lado a otro a lo ancho de la parte superior del colchón para tener el ancho y de la cabeza a los pies de la cama para el largo.

Las colchonetas, sobrecamas y edredones llegan de 7.5 a 10 cm (3" a 4") más abajo del colchón en los lados y al pie de la cama. La caída abajo del colchón es la distancia de la orilla superior del colchón a la parte inferior de la sobrecama, por lo general de 23 a 30.5 cm (9" a 12"), dependiendo del alto del colchón.

El largo del rodapiés se toma midiendo de la parte superior del marco de la cama en los sofás-cama, o de la parte superior del tambor de resortes hasta el piso en las camas comunes.

Para determinar los anchos de tela necesarios, divida el ancho total de la sobrecama entre el ancho de la tela y redondee al siguiente número más alto. La mayoría de cubrecamas requieren dos o tres anchos de tela. Multiplique el número de anchos por el largo de la cubrecama, para saber la tela que necesitará. Divida entre 100 cm (36") para determinar el número de metros (yardas).

Para la mayoría de cubrecamas se requerirá que se unan los lienzos de tela. Corte uno de todo el ancho para el centro y dos iguales, que tendrán el ancho de cada lienzo lateral. Si la tela tiene un estampado grande, asegúrese de tener tela suficiente para casar el dibujo en las costuras.

Qué hacer con sábanas

Las sábanas son prácticas en la confección de fundas para edredones porque el ancho que tienen hacen innecesarias las costuras y que se casen los dibujos, aunque no siempre están estampadas al hilo y los diseños no casen en los dobladillos como debe ser con telas de decoración. Si los cuatro lados de la sábana están dobladillados, probablemente la sábana se cortó transversalmente, en lugar de hacerlo al hilo de la tela o a lo largo. Antes de rasgar o cortar las sábanas, encuentre el hilo de la tela.

Los tamaños que se proporcionan a continuación, generalmente resultan una buena guía para usarla cuando deba determinar cuántas sábanas necesitará para confeccionar la funda del cobertor o del edredón. Los edredones y las sábanas pueden tener diferentes medidas, especialmente después de lavarlas. Encoja previamente todas las sábanas de algodón o franela antes de cortarlas. Excepto cuando se trate de una funda tamaño cuna, que puede confeccionarse con una sola sábana de cama individual, por lo general requerirá dos sábanas ajustadas al tamaño adecuado para la funda del cobertor o del edredón. De ambas sábanas sobra suficiente tela a los lados para cortar tiras para ribetear. Utilice una sábana simple adicional para decorar la funda con un holán de la misma tela.

Sábanas necesarias para fundas de edredones

Tamaño de la cama	Sábanas para funda de edredón	Sábanas para holán de la misma tela de 10 cm (4")	Número de tiras para el ribete de 3.8 cm (1½")	Medidas comunes de edredones
Cuna	1 individual simple	1 gemela simple	3 tiras a lo largo	107 × 132 cm (42" × 52")
Catre	2 individual simple	1 gemela simple	5 tiras a lo largo	150 × 208 cm (59" × 82")
Individual	2 individual simple	1 gemela simple	5 tiras a lo largo	73 × 218 cm (68" × 86")
Matrimonial	2 matrimonial simple	1 gemela simple	5 tiras a lo largo	195 × 218 cm (76" × 86")
Queen	2 queen simple	1 matrimonial simple	5 tiras a lo largo	218 × 218 cm (86" × 86")
King	2 king simple	1 matrimonial simple	4 tiras a lo largo	257 × 218 cm (101" × 86")

Cómo poner a escuadra las esquinas de las sábanas

Identifique el hilo de la tela. Para hacerlo, sostenga una parte de la sábana y jale en ambas direcciones. Aquella en la que se estire menos corresponde al hilo de la tela.

Rasgue sólo al hilo de la tela. Mida desde el orillo y rasgue a lo *largo* del hilo para obtener el ancho de tela necesaria. Si rasga a lo ancho, no queda a escuadra.

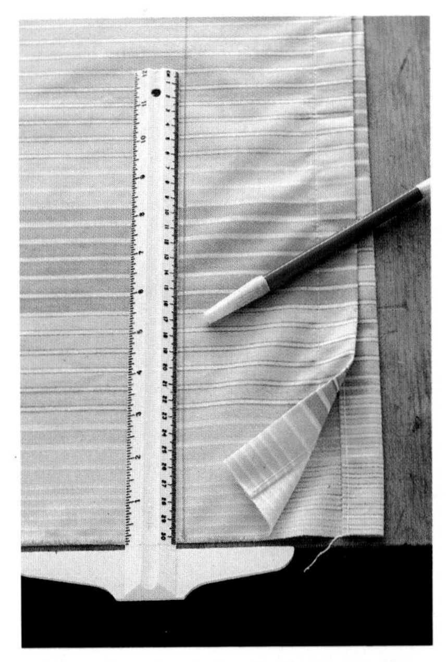

Corte a lo ancho de la tela. Doble la sábana por la mitad a lo largo, de modo que quede lisa sin torcerse; acomode las orillas de la tela a lo largo de la orilla de la mesa. Utilice una regla T para marcar el largo. Corte con cuchilla rotatoria o tijeras.

Fundas para edredones

Un *edredón* es un cobertor mullido o una colchoneta continental, acojinado con un relleno de pluma o fibra sintética. Si desea cambiar el aspecto de un cobertor que ya tenga o proteger un edredón claro, cósale una funda. Ésta es similar a una funda grande para cojín, con un cierre oculto por el revés para que se pueda quitar fácilmente al lavarla.

Las fundas para edredones son más fáciles de coser que las sobrecamas porque no requieren tanta tela y no son tan voluminosas. Las sábanas son una elección ideal ya que no requieren costuras para completar el ancho y, al utilizarlas sobre la cama, no hace falta la sábana de encima. Aunque no utilice sábanas para confeccionar toda la funda, puede usar una sábana para el revés del edredón.

Estas fundas también se prestan para ponerles toques decorativos, como holanes en todas las orillas, ribetes contrastantes en las costuras o ambos. En la parte superior se pueden adornar con alforzas, tiras decorativas, encaje o aplicaciones.

✂ Instrucciones para cortar

Mida el edredón de pluma o fibra sintética. Si desea que no quede amplia, haga la funda 5 cm (2") más corta y 5 cm (2") más angosta que el edredón.

Corte el frente 2.5 cm (1") más ancho y 2.5 cm (1") más largo que el tamaño ya terminado; corte la parte de atrás del mismo ancho y 3.8 cm (1½") más corto que el frente. Corte la tira para el cierre de 9 cm (3½") de ancho y del mismo largo que el ancho que cortó para el revés.

Para el ribete, corte tiras de tela de 3.8 cm (1½") de ancho y del doble de largo, con dos veces el ancho del edredón, agregando unas cuantas pulgadas para el acabado. Corte cordón de 4 mm (5/32") al largo de las tiras de tela.

Si desea un holán de la misma tela de 10 cm (4"), corte tiras de tela de 23 cm (9") de ancho. Una conforme sea necesario, para obtener una tira de 4 veces el largo más 4 veces el ancho del edredón. Si va a coser un holán de tira bordada, corte la orilla bordada de 10 a 15 cm de ancho (4" a 6") de 4 veces el largo y 4 veces el ancho. Si es una tira previamente fruncida, córtela del doble del largo más el doble del ancho.

MATERIALES NECESARIOS

Sábanas simples o tela de algodón lavable o mezcla de algodón poliéster para el frente y el revés. Si utiliza sábanas, consulte la página 73 para el número de sábanas que necesita. Si usa tela, mida la cama y determine la cantidad necesaria, como se indica en la página 72.
Dos cierres de 56 cm (22") de largo.
Opcional: cordón de 4 mm (5/32"); tela para holán u holanes de la misma tela.

Cómo coser una funda para edredón con ribete acordonado

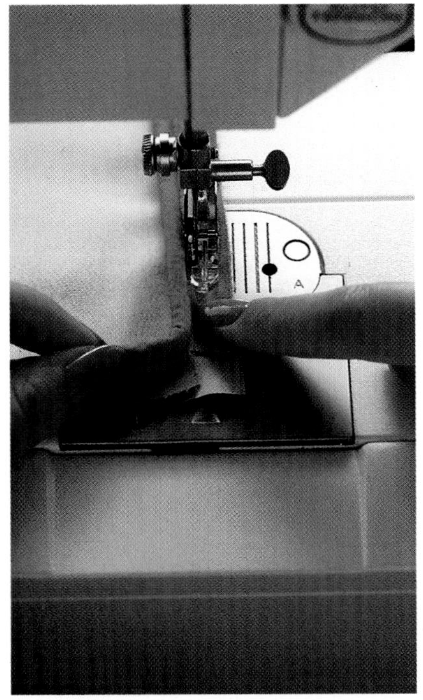

1) Haga el ribete acordonado como en el paso 1, página 111. Cósalo por el derecho, dejando 1 cm (3/8") de pestaña. Recorte y desvanezca acomodando el cordón en las esquinas. Una los extremos como en los pasos 3 a 5, página 111.

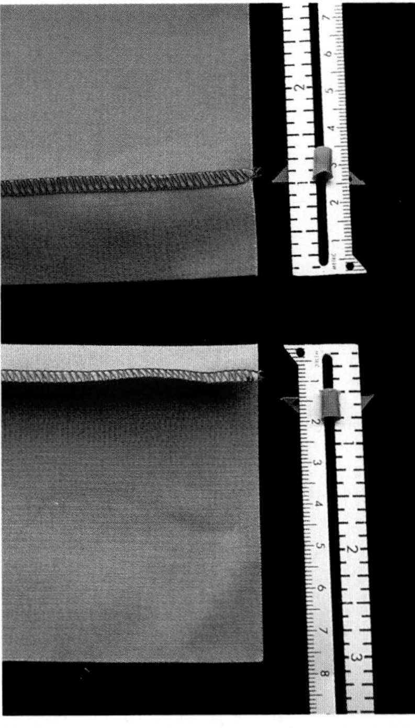

2) Cosa con overlock o con zigzag la orilla superior de la tira del cierre y la orilla inferior de la parte trasera. Planche la orilla terminada de la tira del cierre hacia abajo, doblando 1.3 cm (1/2"), así como la orilla terminada de atrás hacia abajo 2.5 cm (1").

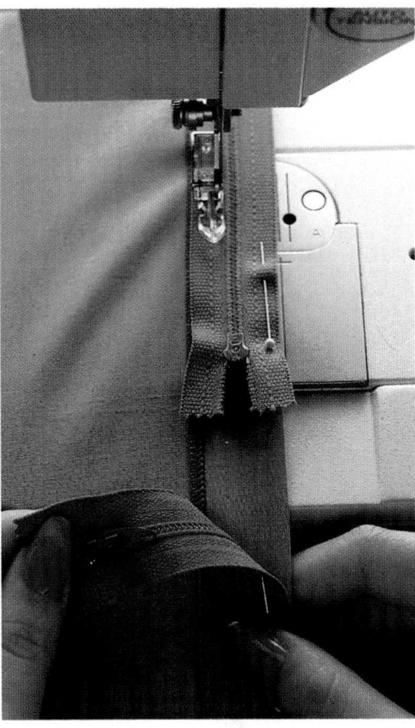

3) Acomode los cierres cerrados hacia abajo sobre la pestaña de la parte trasera, haciendo que las jaladeras se encuentren en el centro y que las orillas del cierre queden en el doblez. Use el pie para cierres y cosa un lado de los cierres.

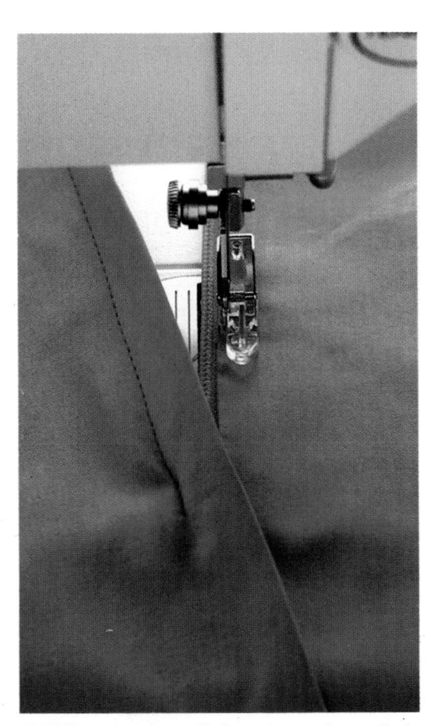

4) Voltee la pieza al derecho, colocando la orilla planchada del cierre a lo largo de los dientes del otro lado de los cierres y cosa cerca de la orilla. Al final de los cierres, haga una costura de remate.

5) Cosa a través del extremo de los cierres, después haga un sobrepespunte a través de todas las capas de tela para cerrar la costura desde el extremo de los cierres hasta las orillas laterales. Abra los cierres.

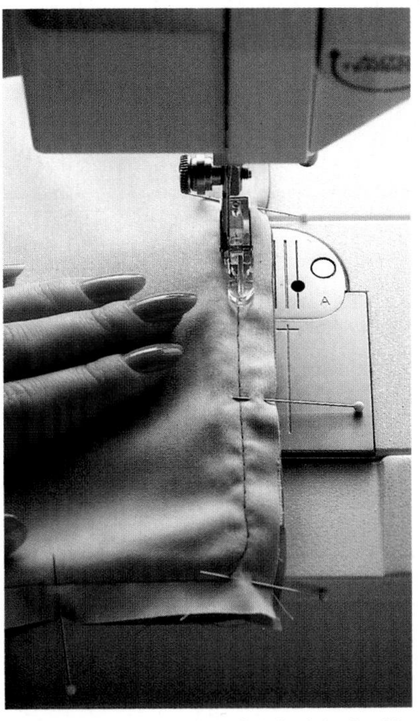

6) Prenda el frente de la funda del edredón con el revés. Cosa con el pie para cierres, con el lado del frente hacia arriba, cerca de las puntadas de la primera costura. Voltee la funda para que quede el derecho hacia afuera y meta el edredón.

Cómo coser una funda para edredón con holán

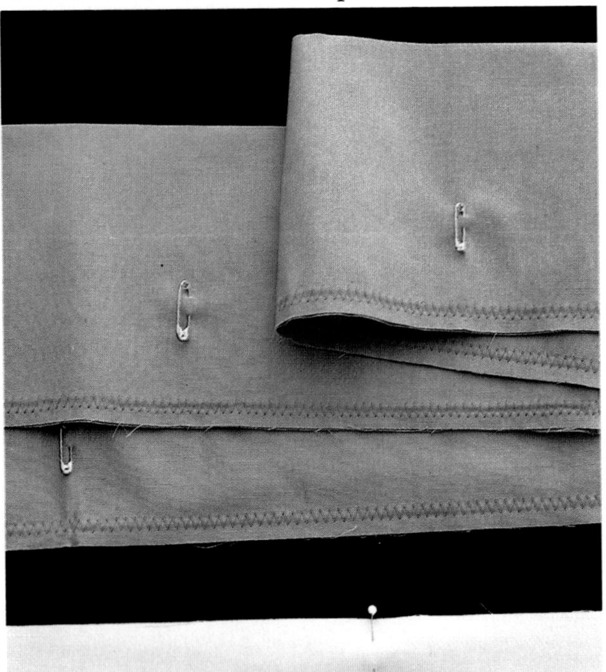

1) Una los extremos de las tiras para el holán para que formen un círculo. Doble por la mitad a lo largo, con el derecho hacia afuera. Haga costura de zigzag en las orillas cortadas a 6 mm (1/4") de la orilla, utilizando la puntada más ancha y larga. Divida en cuatro partes iguales y señale con alfileres de seguridad, marcando también el centro de cada lado del frente.

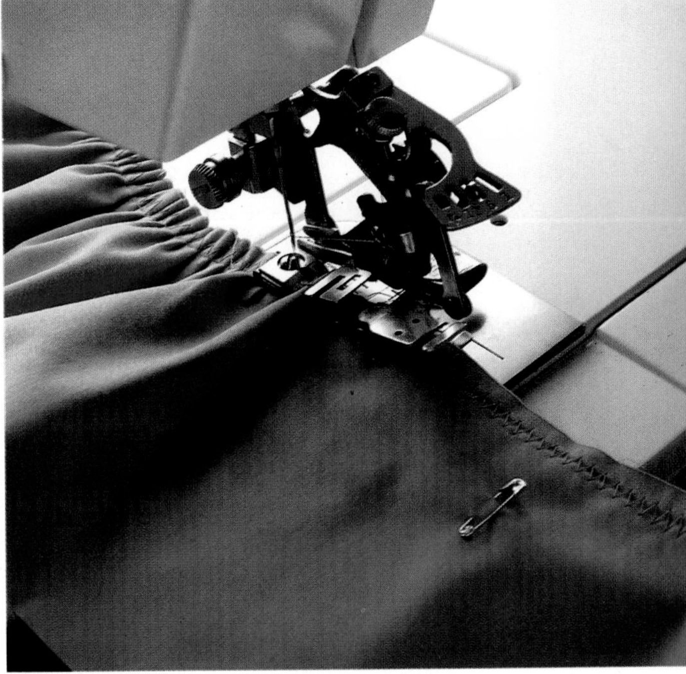

2) Use el accesorio para plegar o un pie plegador, ajustado para pliegue doble para fruncir el holán a 1 cm (3/8") de la orilla. Haga la prueba en un recorte. Es más fácil plegar un poco menos de 2 a 1 y acomodar los pliegues posteriormente que plegar muy apretado para tener que cortar los hilos después, lo cual puede ocasionar que hayan secciones lisas entre los frunces.

Cómo coser una funda para edredón con holán y ribete acordonado

1) Siga los pasos del 1 al 5 para la funda con ribete acordonado (página 75) y los pasos 1 y 2, en la hoja opuesta, para coser la funda con holán.

2) Prenda e hilvane a mano el holán al frente sobre el ribete acordonado. Acomode el holán sobre el frente y desvanezca los pliegues como en el paso 3, abajo. Acabe como en el paso 5, abajo, y cosa arreglando el ribete.

3) Junte los alfileres de seguridad sobre el holán con las señales en la sección del frente. Prenda e hilvane el holán al frente, cosiendo justo dentro de la línea de pliegues. Deje un poco más de pliegues en las esquinas, de modo que el holán caiga plano al voltearlo al derecho.

4) Inserte el cierre, siguiendo los pasos del 2 al 5 para la funda con ribete acordonado, página 75.

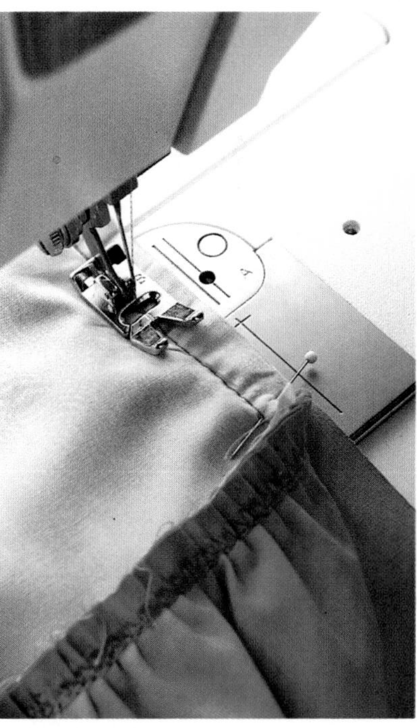

5) Prenda el frente a la parte de atrás, juntando los lados del derecho. Con el frente hacia arriba, haga una costura a 1.3 cm (1/2") de las orillas. Voltee la funda al derecho e inserte el edredón.

Guardapolvo con pliegues cosidos

El guardapolvo con pliegues cosidos lleva un forro a la medida que sujeta los pliegues en su lugar. Aunque el guardapolvo da un aspecto de tapicería, las cuatro esquinas se abren para que ajusten sobre el tambor de la cama y se sostienen en su lugar con tiras cortas de cinta Velcro(MR), cosidas a un listón de popotillo que se fija a la costura.

✂ Instrucciones para cortar

Si utiliza una sábana o tela que se pueda rasgar, corte a lo largo de la tela para obtener tiras del ancho que las desea para la caída, agregando 2.5 cm (1") para costuras. Una las tiras para tener sólo una tira larga del doble del ancho de la cama y 4 veces el largo de la misma más 102 cm (40") para las vueltas en la cabecera de la cama.

Para la parte superior, corte una sábana simple de 2.5 cm (1") más de ancho y de 2.5 cm (1") más de largo que el tambor de resortes.

Corte el forro para la caída de la misma medida que el guardapolvo; corte dos piezas del largo del tambor más 2.5 cm (1"), y una pieza del ancho del tambor más 2.5 cm (1"). Corte además dos trozos para las vueltas en la cabecera de la cama de 28 cm (11") de largo.

Corte las tiras para el ribete de 38 cm (1½") de ancho y del doble del largo, más dos veces el ancho del colchón. Corte cordón de 4 mm (5/32") al mismo largo que las tiras para el ribete.

Corte 8 piezas de cinta de popotillo y 8 piezas de cinta Velcro(MR) de 5 cm (2") de largo.

MATERIALES NECESARIOS

Tela para decoración o sábanas para el guardapolvo en tres lados de la cama más las vueltas.

Sábanas simples para la parte superior del colchón y el forro.

Cinta de popotillo de 3.8 cm (1½") de ancho.

Cinta Velcro (MR).

Cordón de 4 mm (5/32") para el ribete.

Cómo coser un guardapolvo con pliegues cosidos

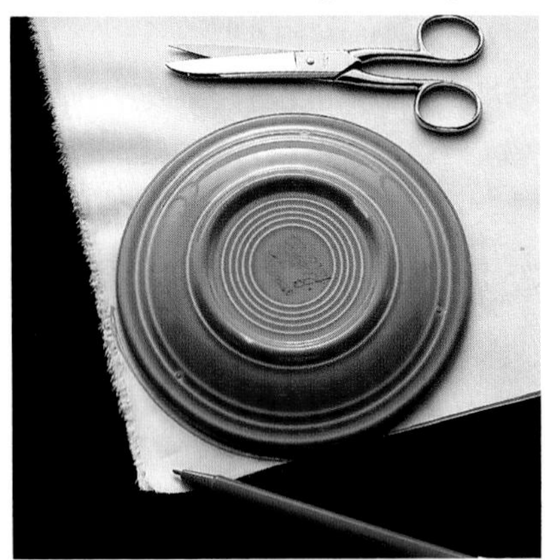

1) **Doble** la cubierta por la mitad a lo largo y después a lo ancho para que las cuatro esquinas queden juntas. Utilice un plato como guía y corte las cuatro esquinas en curva.

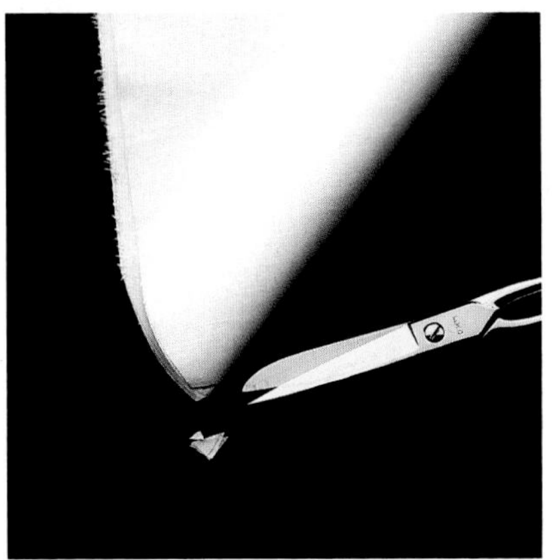

2) **Doble** las esquinas curvas a la mitad y determine el centro, marcando el doblez con una muesca de 6 mm (1/4") en todas las capas.

3) **Pliegue** el faldón a 1 cm (3/8") de las orillas superior e inferior, utilizando el accesorio plegador ajustado a 2 a 1, con el derecho de la tela arriba.

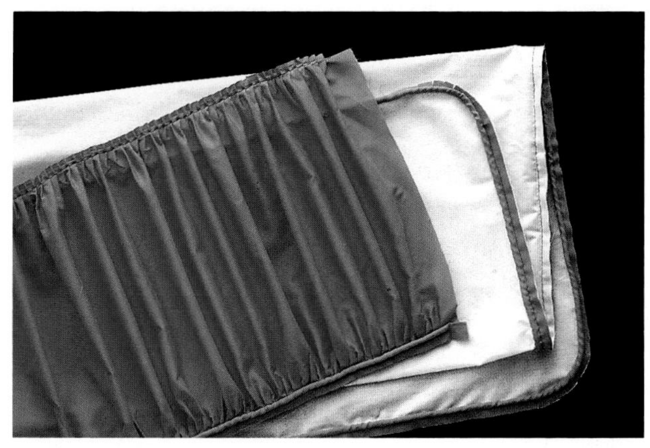

4) Haga el ribete acordonado, página 111, paso 1. Hilvane a máquina el ribete de cordón a 1 cm (3/8") de la orilla inferior del faldón plegado y alrededor de la orilla de la cubierta. Planche ligeramente a vapor para aplanar los pliegues.

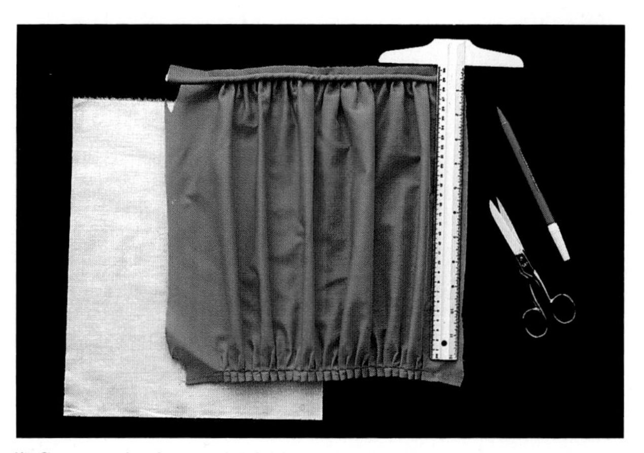

5) Corte varios largos del faldón plegado para que se ajusten a las piezas del forro. Afloje el plegado, si es necesario, para que el faldón quede liso en los últimos 2.5 cm (1") de cada extremo. Ponga a escuadra y recorte los sobrantes para que case con el forro.

6) Corte 1.3 cm (1/2") de cordón de los extremos del ribete acordonado. Doble éste sobre sí hacia atrás y prenda escuadrando para terminar las orillas.

7) Fije el lado de presillas de la cinta Velcro(MR) a los extremos de las piezas largas del forro, cosiendo una tira a 1.3 cm (1/2") de la orilla y a 1.3 cm (1/2") de la parte inferior, y fijando la segunda tira a 1.3 cm (1/2") de la orilla cortada en el centro del costado.

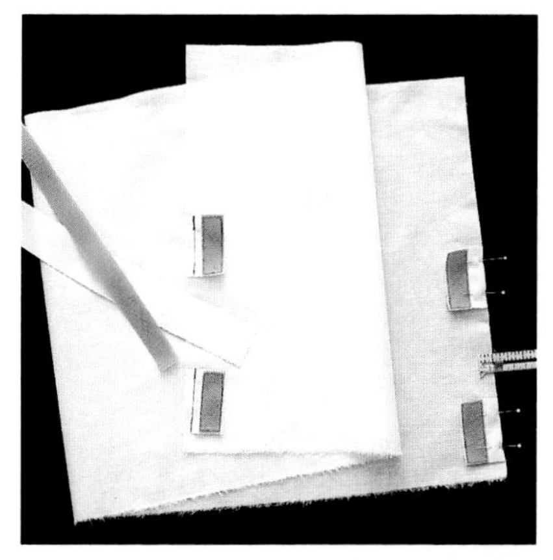

8) Cosa el lado con ganchillos de la cinta Velcro(MR) sobre tiras de cinta de popotillo a 1.3 cm (1/2") de la orilla. Cosa las tiras en las piezas restantes del faldón, casándolas con las que cosió en el paso 7.

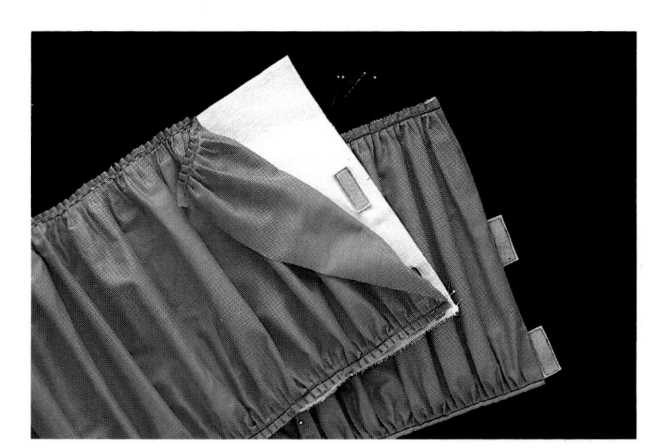

9) Cosa las orillas inferiores y laterales del faldón al forro, con los derechos juntos. Voltee el faldón hacia la derecha e hilvane a máquina las orillas superiores del faldón al forro a 1 cm (3/8") de la orilla. No recorte la cinta de popotillo.

10) Cosa la orilla superior de las piezas del faldón a las orillas de la cubierta poniendo el lado derecho de ambas piezas juntos. Las partes del faldón que tienen las aletillas de cinta quedan abajo de la sección adyacente 6 mm (1/4") en las esquinas. Cosa con overlock o zigzag las orillas cortadas para unirlas.

Cómo coser una funda para almohadón con pliegues cosidos

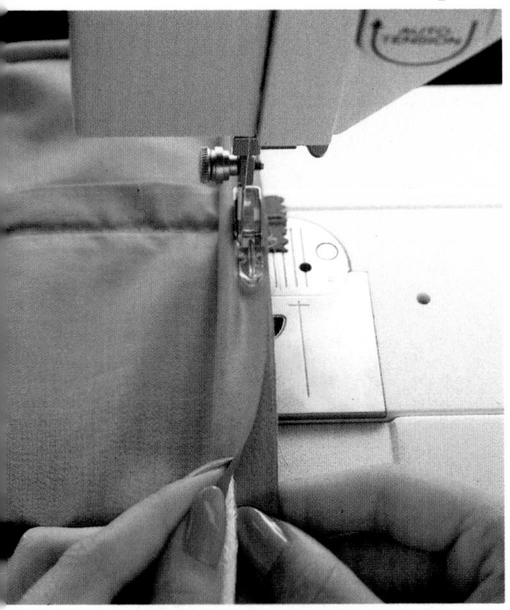

1) Inserte el cierre en la parte de atrás de la funda, siguiendo las instrucciones de la página 75, pasos 2 a 5, para insertar el cierre en la funda del edredón. Cubra el cordón e hilvane a máquina hacia el derecho de la parte trasera en una costura a 1 cm (3/8") de la orilla, uniendo las orillas del acordonado (página 111).

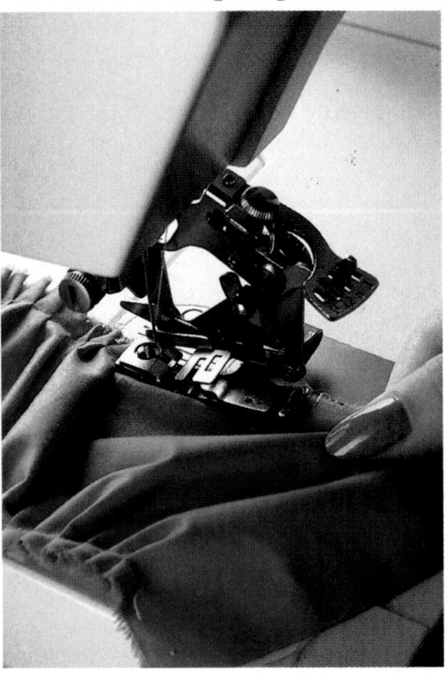

2) Pliegue la tira de la orilla a 1 cm (3/8") de ambas orillas, utilizando el aditamiento para plegar al doble. Al plegar, cosa del mismo lado. Planche a vapor ligeramente la tira ya plegada para aplanarla un poco.

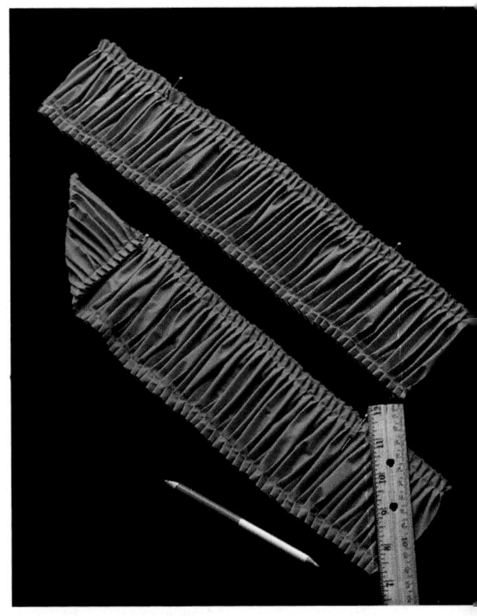

3) Corte dos tiras de 2.5 cm (1") más largas que el largo ya acabado de la funda y dos tiras 2.5 cm (1") más largas que el ancho de la pieza terminada. Por el revés de las tiras cortas hay que doblar la esquina hacia atrás, señalando el ancho de la tela con un alfiler. Desdoble y marque el ángulo de costura del alfiler hacia la esquina.

Funda para almohadón con pliegues cosidos

La cenefa en inglete con pliegues cosidos en esta funda es una versión angosta del guardapolvo. La funda terminada debe tener la misma medida que el almohadón.

La técnica para unir una cenefa en inglete a un cajón también se usa para pegar una cinta en inglete a un cojín (página 22).

✂ Instrucciones para cortar

Corte el revés con 2.5 cm (1") más de ancho y 3.8 cm (1½") más corta que el tamaño terminado. Corte una tira para el cierre en el revés del mismo ancho que ésta y de 9 cm (3½") más de ancho. Corte el centro del frente con 10 cm (4") más angosto y corto que la funda terminada. Corte las tiras para las orillas de 9 cm (3½") de ancho y 4 veces el largo y ancho de la funda, más lo necesario para las costuras.

Para el ribete acordonado, corte tiras de 3.8 cm (1½") más de ancho y el doble del largo más 2 veces el ancho de la funda, con lo necesario para las costuras.

MATERIALES NECESARIOS

Tela para decoración o sábanas para la funda.

Tela contrastante para la cenefa.

Cordón para el ribete de 4 mm (5/32").

Cierre de 56 cm (22") de largo.

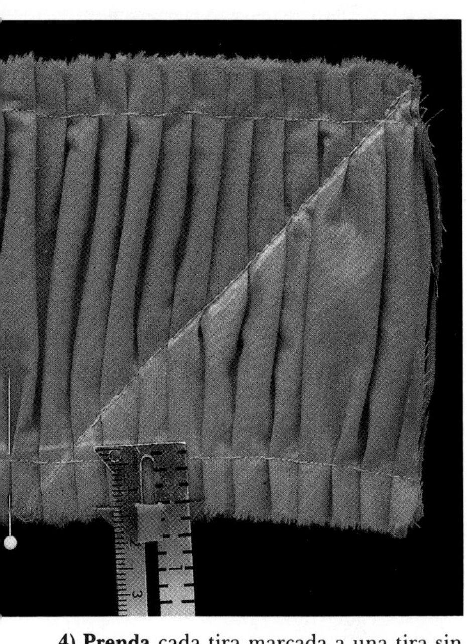

4) Prenda cada tira marcada a una tira sin marcar y cosa desde una esquina hasta 1.3 cm (½") de la orilla cortada, rematando. Recorte las costuras hasta dejar una pestaña de 6 mm (¼") y planche abriendo.

5) Prenda las orillas interiores del ribete al frente de la funda, cosiendo cada lado por separado rematando (flecha) en ambos extremos de la costura.

6) Prenda el frente a la parte de atrás, con los lados del derecho juntos y cosa a 1.3 cm (½") de la orilla por los cuatro costados. Para acabar, cosa con overlock o zigzag las orillas cortadas. Voltee al derecho y meta el almohadón.

Funda para edredón hecha con sábanas

Si desea usar el ribete decorativo en una sábana, oculte la abertura para el cierre bajo el ribete por el derecho de la funda. Puede añadir, si lo desea, un ribete decorativo a una sábana lisa utilizando encaje u otro adorno.

✂ Instrucciones para cortar

Mida el edredón de plumas o de fibra sintética. Si lo desea ajustado, confeccione la funda con 5 cm (2") menos de largo y 5 cm (2") menos de ancho que las medidas del edredón.

Corte o rasgue una sábana de modo que mida 2.5 cm (1") más de ancho y 2.5 cm (1") más de largo que el tamaño terminado de la funda, para el lienzo del revés.

Para el frente, corte o rasgue una sábana con ribete con 2.5 cm (1") más de ancho que la medida terminada y, para la aletilla con ribete para el cierre, por el derecho, doble la sábana por la mitad a lo largo y marque una línea a 51 cm (20") de la orilla de la ventana. Para la tira del cierre, señale una segunda línea a 75 cm (3") de la primera. Corte por ambas líneas. Para saber el largo que debe cortar de la sección restante del frente, utilice la gráfica a la derecha. Acomode la tela de la sábana a la orilla de la mesa y utilice una regla T para poner a escuadra la orilla inferior.

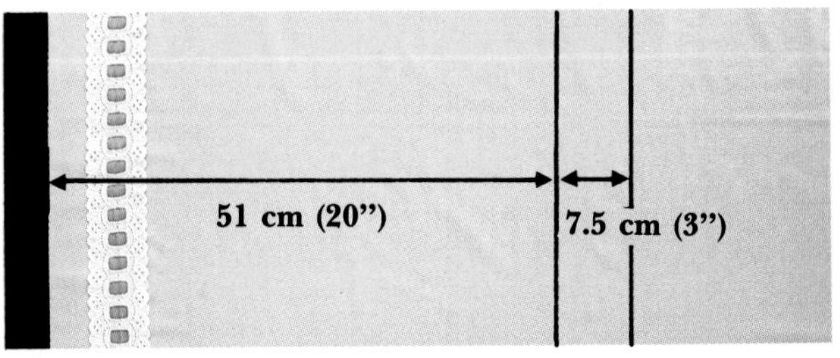

Lado cortado de la funda del edredón	cm (pulg.)
1) Largo de la funda terminada	
2) Ribete de la aletilla del cierre, 51 cm (20")	−
3) Ancho del ribete	+
4) Pestaña para costura de 2.5 cm (1")	+
5) Largo del frente cortado	=

MATERIALES NECESARIOS

Sábanas simples con ribete decorativo. Vea la página 73 para saber el número y tamaño de éstas.

Dos cierres de 56 cm (22") de largo.

Cómo coser una funda para edredón con sábanas

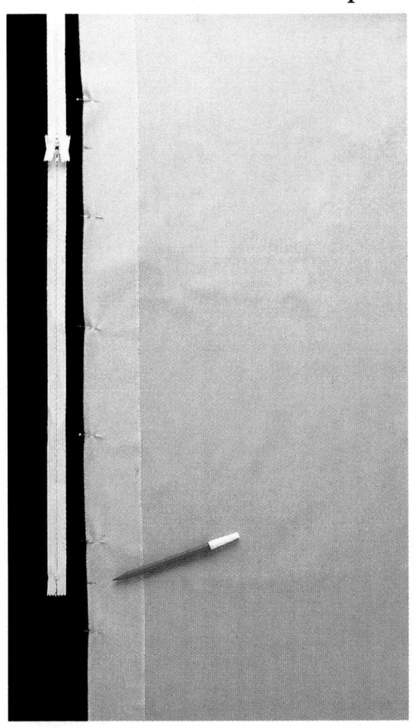

1) Haga zigzag o sobrehíle los extremos cortados de la tira del cierre y de la orilla superior del frente. Prenda la tira del cierre a la orilla superior, con los derechos hacia adentro. Marque la abertura del cierre midiendo 56 cm (22") a partir del centro en ambas direcciones.

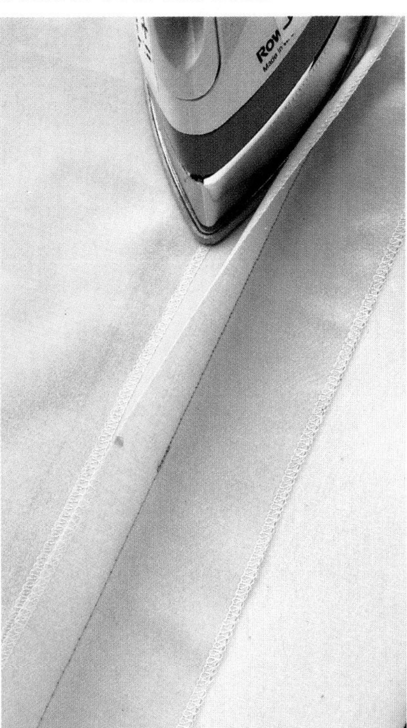

2) Cosa el cierre a 2.5 cm (1") comenzando por uno de los lados. Remate al llegar a la marca del cierre y luego hilvane a máquina a través de la abertura del cierre, remate y siga por la orilla. Planche la costura abriéndola.

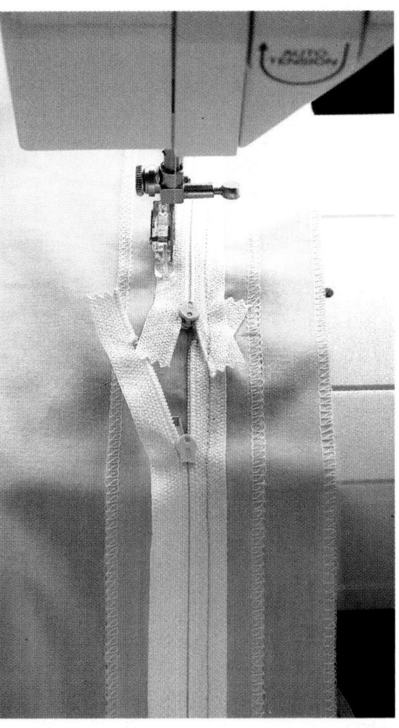

3) Centre los cierres abiertos con el derecho hacia abajo sobre la pestaña de costura, con los dientes sobre la costura hilvanada y los extremos de las aletillas encontrándose en el centro. Con un pie para cierres, cosa por un lado de los dientes. Ciérrelos y cosa el otro lado. Quite el hilván.

4) Prenda la sección con el ribete decorativo sobre el cierre, con el derecho hacia arriba y dejando la costura del cierre a 2.5 cm (1") de la orilla interior del ribete. Cosa por la orilla del ribete atravesando todas las capas. Abra los cierres.

5) Prenda el frente a la parte de atrás, poniendo el lado derecho de una junto al del otro y con el revés hacia arriba. Cosa a 1.3 cm (1/2") de la orilla cortada. Para el acabado, cosa con overlock o haga zigzag en las orillas cortadas. Voltee el derecho hacia afuera y meta el edredón en la funda.

Cómo coser una sobrecama con cubrealmohada simulado

1) Doble la tela decorativa y el forro por la mitad a lo largo. Para redondear las esquinas al pie de la sobrecama y en la parte superior del cubrealmohada, acomode las esquinas para que queden parejas y, utilizando un plato, señale la curva. Corte por la línea marcada.

2) Doble la tira de bies por la mitad a lo largo, con los lados del revés juntos y planche. Cosa la tira a los lados curvos por el derecho de la sobrecama y cubrealmohada, cosiendo apenas a 1.3 cm (1/2") de la orilla. Desvanezca acomodando la tira alrededor de las curvas para que quede lisa al voltear.

3) Prenda el forro a la tela de vista en ambas secciones, poniendo el derecho de ambas junto, dejando 1.3 cm (1/2") para costura y cosa alrededor de la sobrecama dejando abierta la orilla superior. Recorte las esquinas y voltee ambas secciones poniendo el derecho hacia afuera.

Sobrecama con cubrealmohada simulado

La sobrecama con cubrealmohada simulado cubre con el mismo lienzo la cama y almohadas. Tiene una aletilla muy amplia en la parte superior para doblarla sobre las almohadas, facilitando el arreglo diario de la cama.

Está técnica puede utilizarse para cubrir edredones o sobrecamas completas. También sirve como cubrecama ligero para el verano.

Si desea un aspecto sobrio, sin el aspecto de funda separada para las almohadas, agregue la tela para cubrirlas al edredón. Siga las instrucciones para una funda de edredón (páginas 74 a 77), dejando la orilla superior abierta. Haga el cubrealmohada simulado y fíjelo como se indica abajo.

Si desea versatilidad, utilice telas coordinadas o sábanas para el frente y el forro, haciendo la cubierta reversible. Las orillas se acaban con un adorno sencillo de bies. Si utiliza tela rayada, como se muestra aquí, puede formar un inglete con las rayas en la parte de la funda simulada, lo que le dará un efecto decorativo.

✂ Instrucciones para cortar

Una los lienzos con costuras para obtener el ancho necesario. Para la cubierta, corte la tela del frente y el forro del ancho de la cama, más el doble de la caída, agregándole 2.5 cm (1") para costuras. Corte la tela al largo de la cama agregándole el largo de la caída, más 2.5 cm (1") de pestaña para las costuras.

Para el cubrealmohada simulado, corte la tela de vista y el forro de 71 cm (28") y del mismo ancho que el de la cubierta. Este tamaño es adecuado para una almohada promedio de 51 cm (20"). Si son más grandes o más pequeñas, mida con amplitud sobre la curva de la almohada y agregue 2.5 cm (1") para costuras. Corte la tela del cubrealmohada en la misma dirección que cortó el cubrecama, casando las rayas o diseños, a menos que vaya a formar inglete para efectos decorativos.

Para el adorno, corte tiras de bies de 5 cm (2"), de tela contrastante del doble del largo ya acabado más el doble del ancho ya terminado, agregando lo necesario para costuras.

MATERIALES NECESARIOS

Tela para decoración y forro para el cubrecama.
Tela contrastante para el ribete de bies.

4) Hilvane juntas las orillas cortadas a lo largo de los extremos abiertos de la sobrecama y del cubrealmohada. Para pespuntear la costura francesa oculta, case el *revés* del cubrealmohada con el *derecho* de la sobrecama haciendo una costura a 6 mm (1/4") de las orillas y planche. Recorte, voltee y planche de nuevo, cosiendo a 1 cm (3/8") del doblez.

4a) Alternativa de costura. Case el *derecho* del cubrealmohada al *revés* de la sobrecama, cosa a 1.3 cm (1/2") de la orilla y recorte. Acabe la costura con zigzag u overlock, o aplique un ribete de bies.

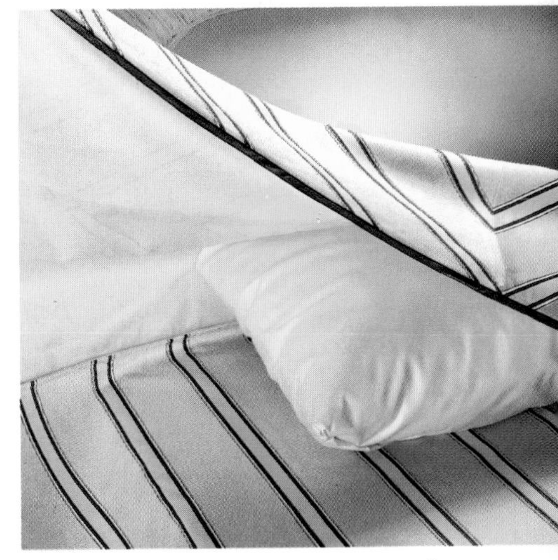

5) Ponga la sobrecama en la cama, con las almohadas sobre ésta y doble el cubrealmohadas sobre ellas. La costura queda por el interior.

Guardapolvo y sobrecama con bastas para sofá-cama

Este juego sobrio para sofá-cama combina una sobrecama con bastas con guardapolvo plegado. La sobrecama se adapta en las esquinas para ajustar sin arrugas alrededor del marco de la cama.

La mayor parte de los marcos de los sofás-cama tienen bordes en dos lados o todo alrededor para evitar que el colchón se deslice. Otros marcos no tienen bordes. Adapte el guardapolvo para que caiga desde la parte superior del marco o del borde, quedando abierto en las esquinas y que cuelgue parejo quedando a 6 mm (¼") del suelo. Para algunos marcos de los sofás-cama, puede ser necesario fijar el guardapolvo entre 3.8 a 5 cm (1½" a 2") de las esquinas de la parte superior del tambor, de modo que los pliegues no abulten en las esquinas. La caída de la sobrecama queda sobre el faldón, ocultando el marco en las esquinas.

✂ Instrucciones para cortar (sobrecama)

Corte el lienzo central de 150 cm (60") de largo, del ancho completo de la tela. Divida otro ancho de la tela en dos para los lienzos laterales y únalos al lienzo central, casando el diseño en las costuras. Recorte el sobrante de tela de cada lienzo lateral, de modo que el ancho mida 244 cm (96").

Corte y cosa el forro de 2.5 cm (1") más de largo y 2.5 cm (1") más que la vista superior.

Corte tiras de tela para el ribeteado, uniendo los extremos para formar una tira de 8.25 m (9 yardas) de largo.

✂ Instrucciones para cortar (cubretambor y faldón)

Corte el faldón del cubretambor del largo y ancho del tambor, más 2.5 cm (1") para costuras. Si el sofá-cama tiene bordes, corte una tira de tela para decoración para cada borde de la altura de éste, agregando 2.5 cm (1") para costuras y del largo o ancho del marco más 5 cm (2") para dobladillos.

Corte dos secciones del faldón, cada una del doble del largo de la parte superior del tambor agregando 5 cm (2") para dobladillos. Corte dos secciones del faldón, cada una del doble del ancho del tambor, agregue 5 cm (2") para dobladillos. Para determinar el largo del faldón, mida como se indica en el paso 1, en la página opuesta.

MATERIALES NECESARIOS

Para el rodapiés, 5.75 m (6¼" yd) de tela de 140 cm (54") de ancho para decoración y una sábana simple de cama individual para el cubrecolchón o cubretambor.
Para la parte superior de la sobrecama y el forro, 3.10 m (3⅜ yd) de tela de 140 cm (54") de ancho, agregando la tela necesaria para casar motivos y hacer el ribete acordonado.
Relleno de poliéster alto, 150 × 244 cm (60" × 96").
Cordón, 8.25 m (9 yardas).
Listón angosto para las bastas, 17.5 m (18 yd) de listón de 3 mm (⅛"); aguja de canevá; alrededor de 13 docenas de alfileres de seguridad.

Cómo coser el guardapolvo para un sofá-cama

1) Mida el marco para determinar el largo ya terminado **(a)** y el ancho **(b).** Para conocer el largo del faldón, mida desde el bastidor **(c)** al piso agregando 6.5 cm (2½"). Para los lados con bordes, mida de la parte superior de éstos **(d)** al piso y agregue 6.5 cm (2½").

2) Planche hacia abajo y haga un dobladillo doble de 2.5 cm (1") en la orilla inferior de cada sección del faldón. Frunza la orilla superior usando cualquiera de las técnicas de la página 106. Para los lados con bordes, acomode por el derecho la sección del faldón y la tira de tela, cosiendo a 1.3 cm (½") de la orilla. Planche hacia abajo todas las secciones del faldón y haga dobladillos laterales dobles de 1.3 cm (½").

3a) Para una cama sin bordes. Prenda las secciones del faldón a los lados de la cubierta del tambor, con los lados del derecho juntos y las orillas del holán encontrándose en cada esquina. Haga una costura de 1.3 cm (½"). Acabe las costuras con puntada de zigzag u overlock.

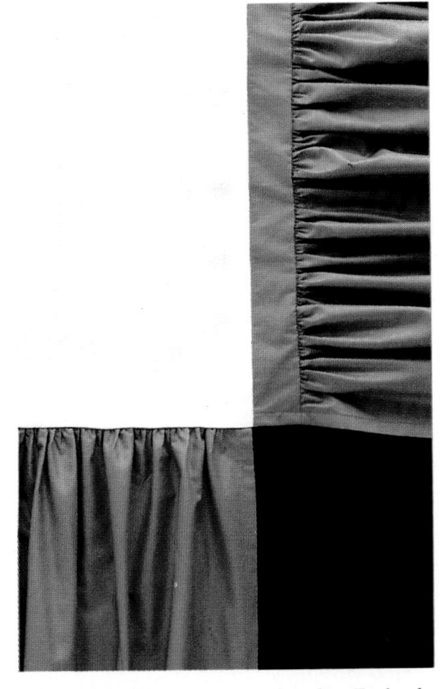

3b) Para una cama con dos bordes. En los lados sin borde, fije el holán a la cubierta del tambor como en el paso 3a. En los lados con borde, cosa las tiras a la orilla de la cubierta con una costura de 1.3 cm (½").

3c) Para una cama con cuatro bordes. Cosa las tiras a las orillas de la cubierta del tambor por el derecho de ambas telas con una costura de 1.3 cm (½"). Acabe las costuras con puntada de overlock o zigzag.

4) Coloque el guardapolvo sobre el marco del sofá-cama acomodando los holanes para que la costura de la cubierta quede en la parte superior del borde o parejo con la orilla del tambor. Coloque de nuevo el colchón en el marco.

Cómo coser una sobrecama con bastas

1) Doble la colcha por la mitad a lo largo y luego a lo ancho, juntando el derecho y casando las esquinas. Trace un cuadrado de 24 cm (9½") en la esquina (la que *no tiene* pliegues). Utilice un plato como molde y trace tres curvas como se muestra. Corte por la línea curva.

2) Coloque la colcha sobre el forro dejando una pestaña todo alrededor del forro de 1.3 cm (½") en la parte superior y, siguiendo las orillas curvas, agregue también 1.3 cm (½") para dejar la pestaña. Recorte el sobrante. El relleno de fibra de poliéster se corta al tamaño del forro.

5) Coloque el forro con el *revés* hacia arriba sobre una superficie amplia y plana. Acomode el relleno sobre el forro, colocando la parte superior con el *derecho* hacia arriba sobre el relleno. Prenda a través de todas las capas en el lugar en que vaya cada basta.

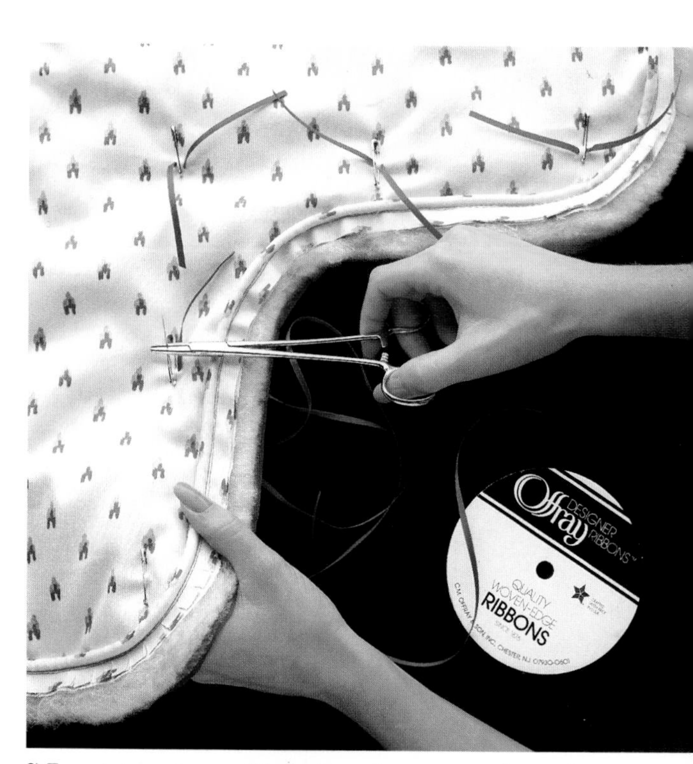

6) Ensarte la aguja con el listón. En cada marca para bastas, inserte la aguja desde el lado derecho a través de todas las capas. Jale hasta la capa inferior dejando un sobrante de 10 cm (4") por la parte superior para atarla. Saque la aguja jalándola hacia la parte superior 6 mm (¼") más lejos. Corte el listón dejando un sobrante de 10 cm (4") y haga un nudo ciego.

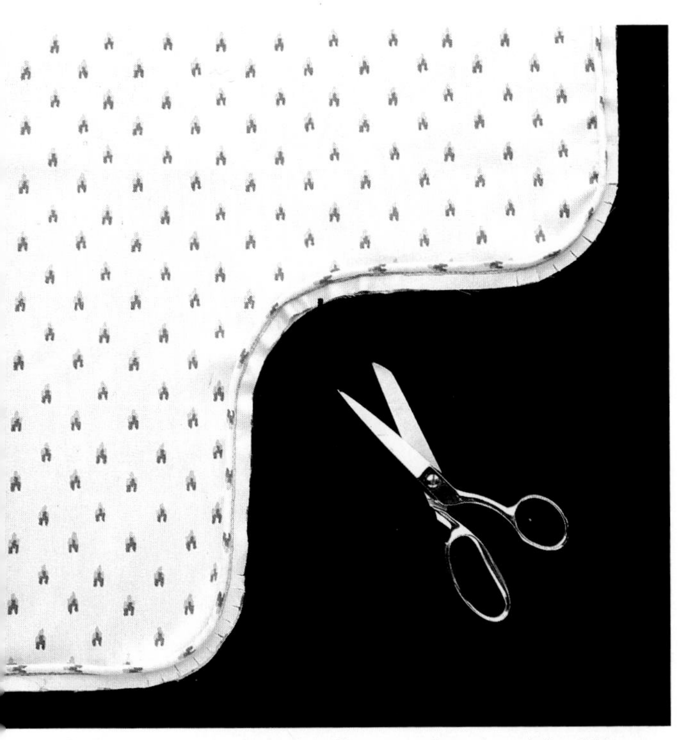

3) Corte y cosa las tiras del ribete acordonado, página 111, paso 1. Cosa el ribete a la parte superior con una costura a 1.3 cm (1/2") de la orilla, con las orillas parejas. Corte las pestañas en las curvas interiores cuidando de no estirar el acordonado en las curvas exteriores.

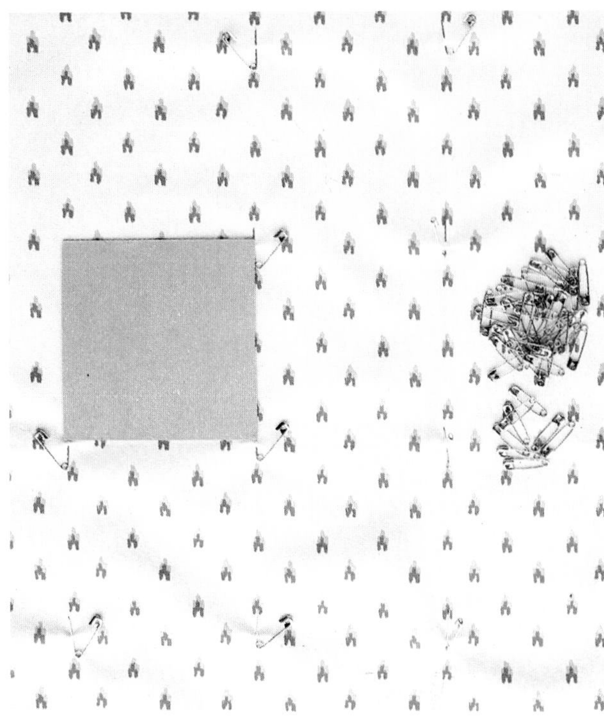

4) Doble por la mitad a lo largo y luego para señalar el centro. Señale por la parte superior de la sobrecama los lugares donde va a poner las bastas, empezando al centro y espaciándolas alrededor de 15 cm (6"). También puede utilizar el diseño de la tela para que le queden parejas.

7) Recorte la pestaña del forro en las curvas volteando hacia abajo 1.3 cm (1/2") sobre las orillas exteriores de la cubierta y del forro, cubriendo las costuras. Prenda de modo que la orilla doblada del forro empalme con el ribete.

8) Cosa a mano con punto deslizado uniendo el forro al ribete acordonado. También puede hacer un pespunte a máquina utilizando el pie para pegar cierres, cosiendo desde el lado del forro junto al ribete.

Cabecera acojinada

Como toque final, puede coordinar una cabecera de tela con la sobrecama. Este proyecto hecho a la medida requiere técnicas simples de tapicería.

Haga una plantilla de papel para determinar el tamaño y forma de la cabecera adecuada para el tamaño de la cama. La cabecera debe cortarse del ancho de la cama, agregando un margen para la ropa de cama y debe tener de 51 a 61 cm (20" a 24") de altura, más aproximadamente 51 cm (20") para las patas. Fije el molde de la cabecera en la pared detrás de la cama para ver el tamaño y forma que tiene, haga los ajustes necesarios.

En la cabecera que se muestra aquí, hay un marco plegado que enmarca la curva sencilla de la cabecera. Determine el ancho de la orilla, alrededor de 10 cm (4") y señale en el molde la curva interna.

✂ Instrucciones para cortar

Corte tela para decoración, con 12.5 a 15 cm (5" a 6") más de largo que la sección de la curva interior. Corte las tiras para plegar del triple de la medida de la curva exterior, agregando al ancho 15 cm (6") más que el ancho de la orilla plegada.

Para las patas, corte tela al largo de éstas, agregando 2.5 cm (1") y el doble del ancho, más 7.5 cm (3").

Para el doble ribeteado, corte tiras de bies de 7.5 cm (3") del largo de la curva interior, más lo necesario para el acabado.

Utilice el molde de papel para la cabecera, para cortar el forro para la parte de atrás de la cabecera.

MATERIALES NECESARIOS

Tela para decoración para el frente de la cabecera, para la orilla plegada y para las patas.
Forro para la parte trasera.
Relleno de poliéster para acojinar la orilla plegada.
Cordón de 5/32", del doble de la medida de la curva interior.
Triplay de 1.3 cm (1/2") cortado de la forma deseada; hule espuma de 5 cm (2") para cubrir la cabecera; engrapadora de tapicería con grapas para trabajo pesado de 1.3 cm (1/2"); tiras de cartón del largo de la curva interior; adhesivo para hule espuma; pegamento blanco.

Cómo hacer una cabecera acojinada

1) Corte una tabla de triplay de 1.3 cm (1/2") siguiendo la forma del molde de papel. Señale la curva interior con 10 cm (4") menos que la curva exterior.

2) Corte el hule espuma de 5 cm (2") parejo con la orilla inferior y 2.5 cm (1") más grande que la curva de la cabecera. Pegue a la cabecera utilizando adhesivo para el hule espuma. Para suavizar la orilla, jale el sobrante de hule espuma hacia atrás y engrápelo a la orilla del triplay.

(Continúa en la página siguiente)

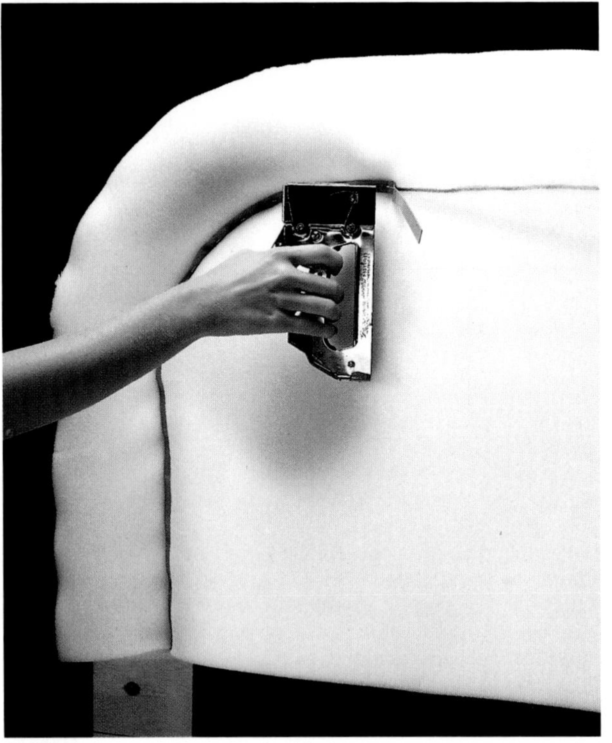

3) Señale la curva interior en el hule espuma y engrape una tira de cartón sobre la línea marcada para formar una curva suave. Si las grapas no entran fácilmente en el triplay, utilice un martillo para clavarlas en su lugar.

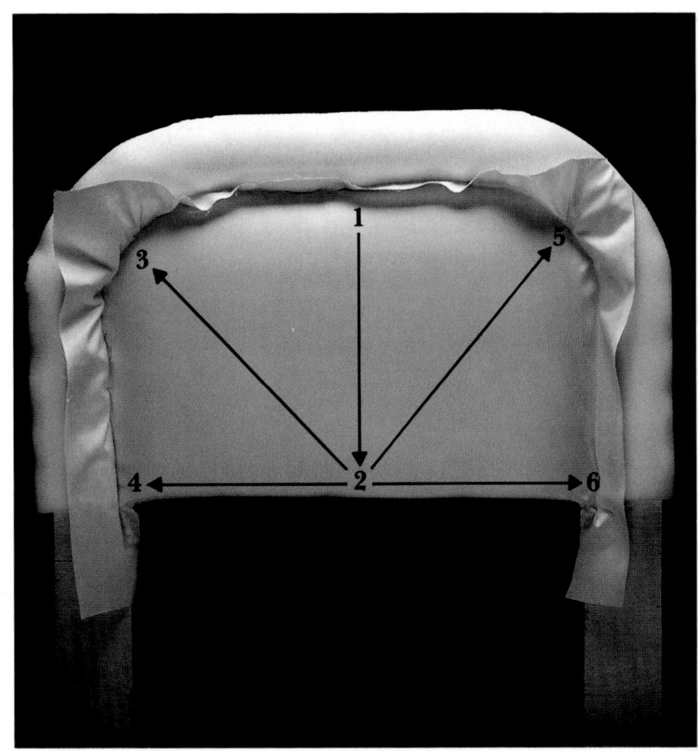

4) Coloque la tela decorativa con el derecho hacia arriba sobre la parte central de la cabecera y, comenzando en el centro, extienda la tela tensándola sobre el hule espuma y engrape a la tira de cartón en la secuencia que se indica, con una grapa cada 5 cm (2"). En la orilla inferior, doble la tela hacia atrás y engrape. Recorte el sobrante de tela.

7) Engrape la tela plegada a la parte de atrás, acomodando la tela en forma pareja alrededor de la curva y formando pequeños pliegues conforme engrapa. Mantenga la parte plegada de un ancho parejo al frente.

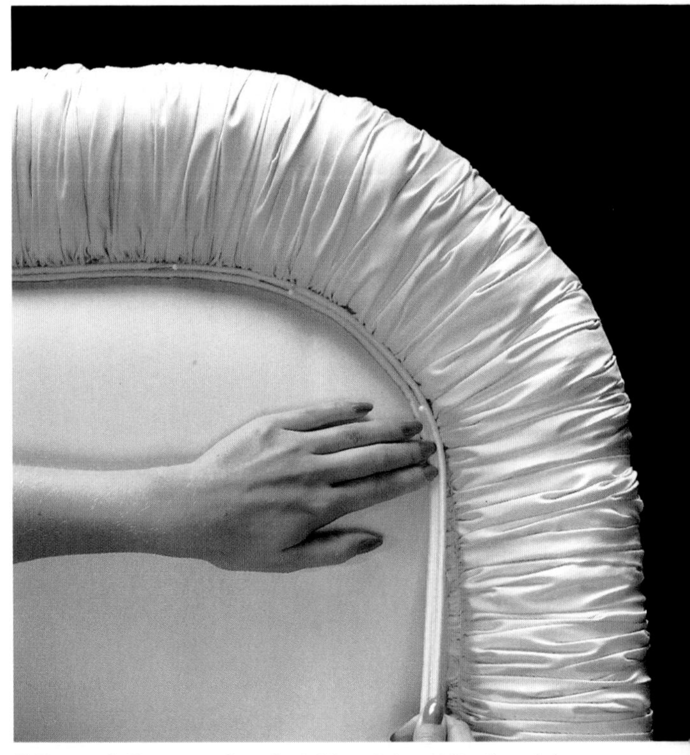

8) Pegue el ribete acordonado doble (página 113) sobre el área engrapada para cubrir las orillas cortadas, estirándolo conforme lo pega. Asegúrelo con alfileres para sostenerlo en su lugar hasta que seque el pegamento.

5) Trate de sujetar el cordón para sostener una orilla más amplia de la tira plegada. Divida la curva y la tira plegada en cuatro partes y señale. Empiece por la derecha engrapando la orilla plegada del borde a la curva uniendo las señales y distribuyendo los pliegues en forma pareja.

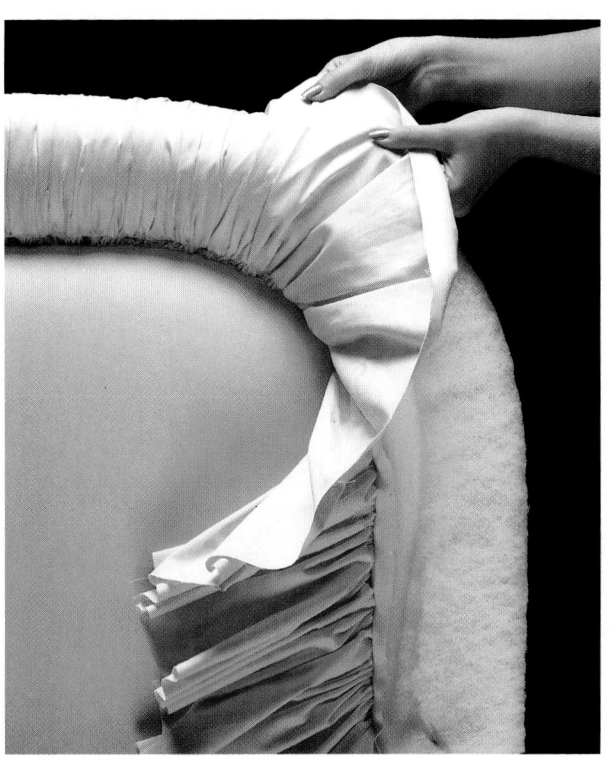

6) Acojine ligeramente la orilla con fibra de poliéster para esponjar y dar forma a la curva. Jale la tira plegada hacia atrás.

9) Engrape o pegue la tela a las patas de la cabecera. Oprima las orillas del forro hacia dentro a 1.3 cm ($^1/_2$"). Acabe la parte trasera engrapando la tela del forro sobre las orillas cortadas.

10) Taladre agujeros en la cabecera para que coincidan con los tornillos en el tambor de la cama. Fije la cabecera al tambor.

Cortinas para baño

Una cortina sencilla para regadera cambia instantáneamente el aspecto del cuarto de baño, renovándolo. Haga de su cortina de baño un atrevido toque de color. Coordine la nueva cortina de la regadera con las cortinas de las ventanas, toallas y otros accesorios.

La cortina para regadera que se muestra, se usa con un forro de plástico y resulta especialmente fácil de confeccionar porque no requiere ojillos ni ojales reforzados en el cabezal. En lugar de éstos, utilice cinta para plegar o tablear, e inserte ganchillos metálicos para cortinas de regadera en las presillas de la cinta. Estas cintas autodeslizables para cortinas se utilizan también para galerías y se fijan a varillas de tensión planas con herrajes comunes para cortinas.

La galería da un toque especial de acabado a la cortina de la regadera. Ayuda a limitar el espacio y coordina la habitación. La mayor parte de galerías que se utilizan para ventanas son adecuadas para cortinas de regadera. Las galerías aglobadas, abullonadas y con pliegues dobles son maneras suaves y ligeras de adornar las cortinas, en tanto que las líneas rectas de las galerías tableadas y planas son más sobrias.

También puede adornar una cortina de regadera con encaje, tira bordada, holanes o cintas de popotillo o satén.

✂ Instrucciones para cortar

Corte dos largos de tela de 206 cm (81") de ancho (se necesitará más tela para casar estampados); cosa los lienzos juntos. Corte la cortina para regadera con 15 cm (6") más de ancho y 23 cm (9") más de largo que el forro de vinilo.

Corte el ancho de la galería de 2½ veces el largo de la varilla y del ancho deseado, agregándole 11.5 cm (4½") para el cabezal y los dobladillos. Una con costuras hasta tener el ancho deseado. Corte cinta para plegar al tamaño del ancho de la galería, agregando algo más para acomodar y acabar los extremos.

MATERIALES NECESARIOS

Tela para la cortina de regadera, 4.15 m (4½ yd.) para medidas estándar; se requiere más tela para casar dibujos.

Cinta plegable para cortinas, 1.95 m (2¼ yd) para la cortina de la regadera; cinta para plegar para la galería de 2½ veces el largo de la varilla.

Forro de vinilo para la cortina, 178 × 183 cm (70" × 72"); 12 anillos metálicos para cortinas; varilla de presión para la galería.

Ganchillos para las cortinas.

Cómo coser una cortina de baño

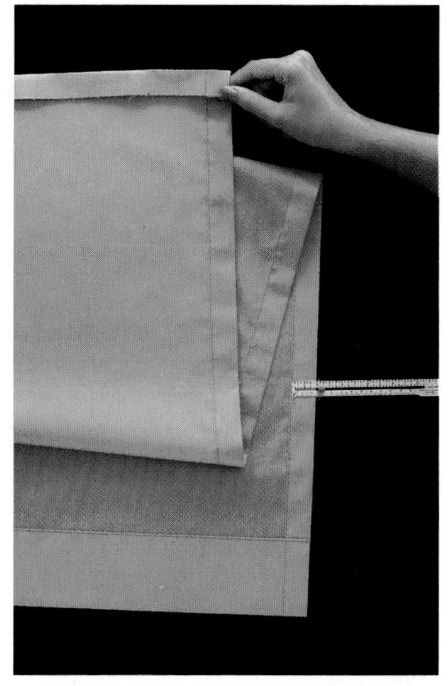

1) **Voltee** al revés y cosa dobladillos dobles de 2.5 cm (1") en la parte lateral de las cortinas. En la orilla inferior, cosa un dobladillo doble de 7.5 cm (3"). Planche hacia el revés, en la parte superior 2.5 cm (1"). No cosa.

2) **Quite** los cordones de la cinta para plegar ya que sólo va a utilizar ganchos para la cortina. Con el lado de las persianas frente a usted y hacia arriba, prenda la cinta por el revés de la tela a 1.3 cm (1/2") de la orilla superior. Voltee hacia abajo la orilla superior en los extremos de la cinta y cosa en su lugar.

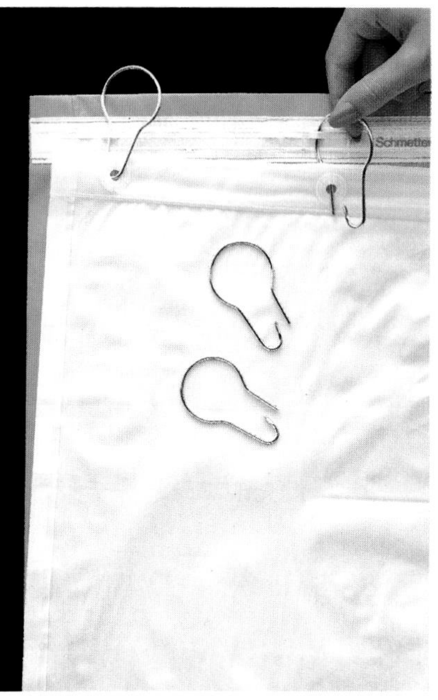

3) **Meta** los ganchos de la cortina en los ojillos del forro de vinilo y en las presillas de la cinta para plegar. Cuelgue en el cortinero.

Cómo coser una galería para cortina de baño con pliegues alternados

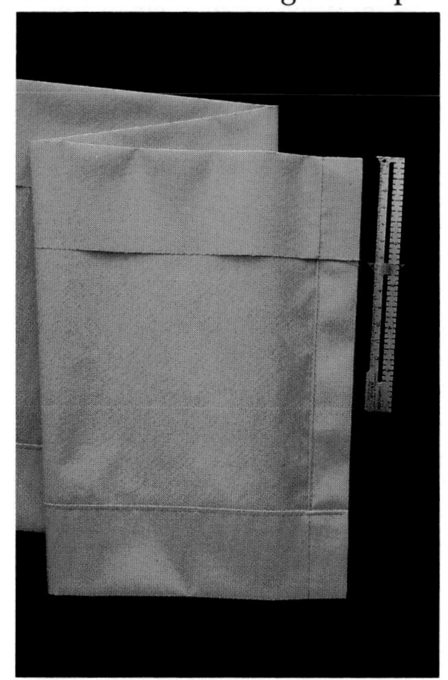

1) **Haga** dobladillos laterales dobles de 2.5 cm (1") y cosa un dobladillo doble de 5 cm (2") en la parte inferior. Voltee la orilla superior hacia el revés 6.5 cm (2 1/2") y planche.

2) **Prenda** la cinta para pliegues dobles a 1.3 cm (1/2") de la orilla superior, con las presillas hacia arriba. Voltee al revés 2.5 cm (1") de la cinta en cada extremo, sacando los cordones y cosa la parte superior e inferior de la cinta.

3) **Anude** firmemente los cordones para evitar que se salgan. Jálelos para formar los pliegues acomodando éstos a la medida de la varilla. Inserte los ganchos para colgarla cada 7.5 a 10 cm (3" a 4"). Coloque la varilla de presión y cuelgue la galería.

Ideas para cortinas de regadera

Galería abullonada. Haga la galería (página 54). Colóquela en una varilla de tensión. Se puede montar en el techo o justo encima de la varilla de la cortina de la regadera.

Cortina adornada con tira bordada. Cosa sin plegar la tira de tela a la cortina, con costura de 1.3 cm (1/2"). Planche y voltee al revés la pestaña de la costura. Haga un dobladillo angosto.

Galería con pastelones. Utilice los cuadros o listas para guiarse al hacer la galería con pastelones. Haga por separado una jareta para el cortinero y cubra la línea de costura con cinta satinada o de popotillo. Coloque la galería sobre el cortinero de tensión.

Galería aglobada. Haga la galería (página 56). Confeccione dos lienzos para la cortina de regadera (página 94) para atarlos a los lados. Coloque los lienzos y la galería en varillas de presión, con el forro de plástico en el cortinero ya instalado.

Cómo coser un faldón para lavabo o mesa de tocador

1) Voltee al revés y haga un dobladillo doble de 2.5 cm (1") en la orilla inferior. Voltee al revés un dobladillo doble de 2.5 cm (1") en las orillas del centro al frente. Si es un faldón de dos piezas, haga un dobladillo sencillo en las orillas de atrás.

2) Planche hacia el revés 2.5 cm (1") en la orilla superior de los lienzos. Voltee al revés las orillas cortadas de los extremos de la cinta para plegar, jalando los cordones. Coloque la cinta con el derecho hacia arriba sobre la orilla cortada, con la orilla superior de la cinta a 6 mm (1/4") del doblez. Cosa ambos lados de la cinta.

3) Ate los cordones en ambos extremos de la cinta de plegar y, desde el revés del faldón, jale los cordones de la cinta hasta tener la medida deseada. Ate los cordones, enróllelos y acomódelos dentro del faldón. Distribuya los pliegues parejo.

Faldones para lavabo y tocador

Para cubrir un lavabo pasado de moda y agregar un toque más que combine en el cuarto de baño, el faldón del lavabo es un favorito de siempre. Oculta la plomería y proporciona un espacio invisible para guardar cosas.

Los faldones de tocador se cosen del mismo modo que los del lavabo y pueden transformar una mesa desagradable en una recámara encantadora o en un accesorio para baño.

Las cintas autodeslizables que plegan, que se pueden obtener en diversos estilos, hacen que la confección sea rápida y fácil y agregan un interés dimensional a la parte superior del faldón. Si desea un adorno más tradicional, frunza la orilla superior (página 106). Fije el faldón al lavabo o mesa de tocador con cinta Velcro(MR), para que se pueda quitar con facilidad al lavarla o cambiarla por otra. Para que el faldón sea lavable, cosa la cinta a mano en el mismo lugar.

Si se fija el faldón al lavabo en la porcelana del exterior, confeccione dos lienzos laterales ya que cada uno se extiende del centro del frente hacia la pared. Si el faldón se fija por la parte inferior del lavabo, puede confeccionarse en una sola pieza, con una abertura central.

✂ Instrucciones para cortar

Agregue 7.5 cm (3") al largo terminado para tener un dobladillo inferior doble de 2.5 cm (1") y 2.5 cm (1") para voltear al revés en la parte superior. Para saber el ancho que debe cortar, mida la distancia alrededor del lavabo o mesa del tocador en el lugar en que los va a fijar; multiplique por 2½ veces la amplitud. Agregue 10 cm (4") para la abertura de los dobladillos al frente.

Corte el número de lienzos como lo calculó arriba y cosa uniendo hasta tener el ancho necesario. Si necesita unir varios lienzos, las costuras deben quedar hacia atrás.

MATERIALES NECESARIOS

Tela para decoración para el faldón.

Cinta para plegar del ancho cortado de la orilla superior de los lienzos planos antes de plegar.

Cinta Velcro(MR) adhesiva para pegarla alrededor del lavabo o mesa de tocador.

4) Presione con los dedos el lado más suave de la cinta Velcro(MR) autoadherible por el revés del faldón, sobre la cinta de plegar.

5) Fije el lado más aspero de la cinta Velcro(MR) autoadherible a la parte exterior del lavabo o mesa de tocador. Fije el faldón a la cinta.

Otra manera de montar el faldón. Para colgarlo bajo la saliente del lavabo, coloque el lado más suave de la cinta Velcro(MR) por el derecho del faldón, a 1.3 cm (½") de la orilla superior y ponga el lado más áspero de la cinta en la parte inferior del lavabo. Acomode el faldón en su lugar.

Adornos para toallas

Reviva el cuarto de baño con toques de diseñador en toallas económicas en colores lisos. Puede poner encajes, listones o monogramas para que coordinen con las sábanas de la recámara y los adornos, cortinas en ventanas y en la regadera del cuarto de baño.

Hay que preencoger o encoger a vapor los galones de listón tejido, en especial los galones de algodón. Los encajes de poliéster no requieren este paso previo. Señale la colocación del adorno en la toalla con una pluma especial de tinta soluble.

Cuando aplique los adornos a toallas de felpa, afloje la tensión y use puntada larga. Deslice ligeramente el adorno conforme cose. Cuando doble la toalla en el toallero, el adorno queda plano.

Sugerencias para adornos de toallas

Encaje y listón. Adorne las toallas con entredós (**1**), orilla bordada (**2**), o galón de encaje (**3**). Para coser el entredós, inserte un listón en los ojales, acomode la tira sobre la toalla y haga una costura recta en la orilla superior. Para la orilla bordada, colóquela de manera que la orilla inferior del bordado cubra el dobladillo o fleco de la toalla. Cubra la parte superior del encaje con listón haciendo pespunte recto a lo largo de ambas orillas del listón. Para el galón de encaje, colóquelo sobre la toalla y cosa siguiendo las orillas del encaje.

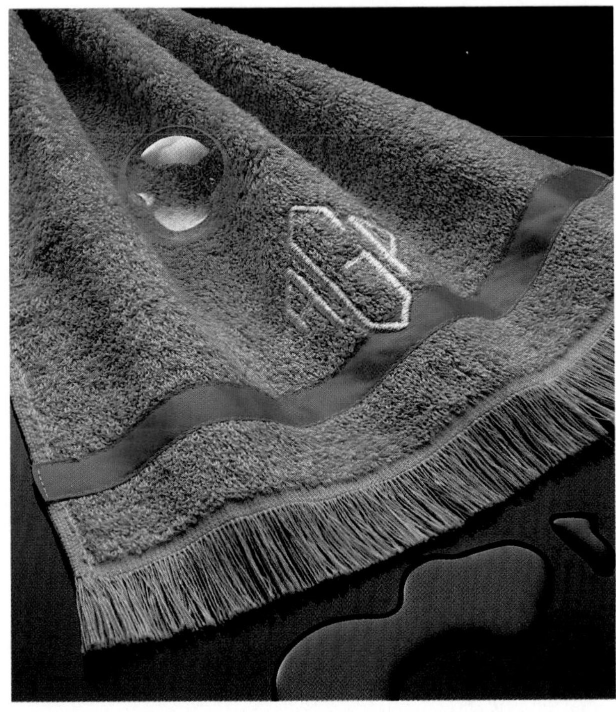

Monogramas a máquina. Inserte el cassette del monograma y el programa de letras que desea en una máquina de coser electrónica. Cubra el área que va a bordar con una película protectora soluble para evitar que se jalen los lazos de la toalla al coser. Borde, arrancando la tela plástica después. Al lavar la toalla, se disuelve la película restante.

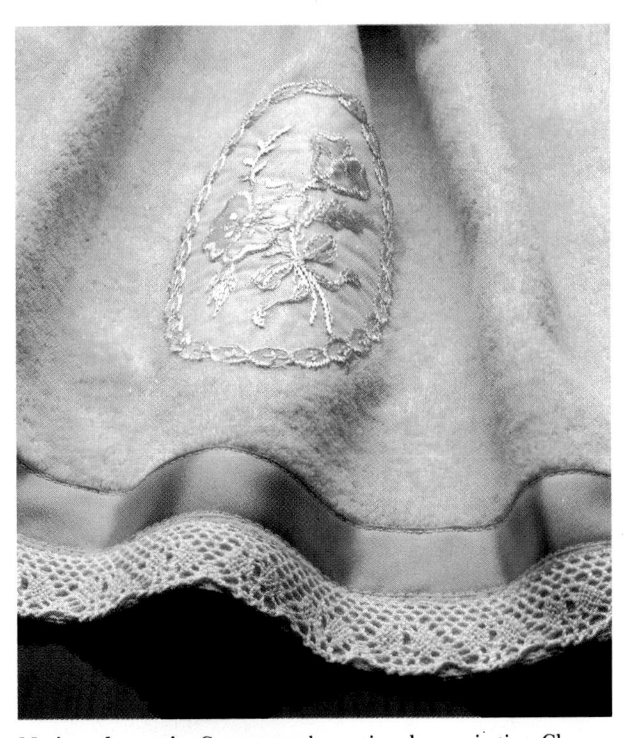

Motivos de encaje. Corte un solo motivo de encaje tipo Cluny o veneciano, o utilice una aplicación comprada. Puede utilizar entretela adherible para colocar la aplicación en su lugar, para coser con zigzag angosto posteriormente. En la orilla inferior de la toalla puede colocar adornos que armonicen.

Toques finales

1
2
3
4
5
6
7
8
9
10

Realce con pasamanería

Para obtener un aspecto profesional en la decoración, en ocasiones sólo hace falta agregar algún detalle ornamental o embellecer con un toque especial. Los flecos, borlas, trencillas, cordones de seda, encaje, listones y moños son adornos de pasamanería que añaden un toque de fantasía en el acabado en toda la casa. Utilícelos para ventanas, galerías y abrazaderas, así como en almohadones, cojines y edredones.

La pasamanería debe estar acorde con el estilo de la habitación, así como con el peso y cuidado de la tela. Las trencillas sedosas y borlas son perfectas compañeras de las elegantes telas de mucho brillo. La tira bordada y las orillas de encaje son indispensables para crear un aspecto romántico y femenino. Asegúrese de utilizar adornos lavables en artículos lavables.

Utilice tinta soluble en agua para señalar las líneas sobre las que colocará los adornos. También puede usar una pluma con tinta que desaparezca. Si los alfileres maltratan el adorno al colocarlo temporalmente para coserlo, utilice un lápiz adhesivo para sostenerlo en su lugar. Si al terminar una labor ésta resulta muy simple, tal vez destaque con un adorno.

Calcule algo más de adorno para formar las esquinas en inglete. Para asegurarse que el inglete sea perfecto, tal vez desee hacer una prueba con el adorno hilvanándolo antes de coser, en especial cuando una trencilla resaltada o tira bordada requiere combinar el dibujo en las esquinas.

1) Las orillas bordadas tienen una orilla cortada y la otra bordada. Las tiras y listones bordados pueden comprarse planos o previamente plegados. La orilla cortada se cose sobre la pieza o bajo un dobladillo. Si se pone sobrepuesta, la orilla cortada puede cubrirse con un listón o trencilla.

2) Los cordones trenzados se pueden conseguir con una cinta tejida que puede ocultarse en una costura.

3) La cinta con ondas o bucles tiene lazos sin cortar continuos que salen de una banda decorativa, que puede coserse o pegarse a un dobladillo.

4) Las abrazaderas con borlas son cordones decorativos trenzados con borlas y se usan para mantener las cortinas o visillos abiertos.

5) Los flecos con borlas tienen pequeños pompones o borlas unidos a una cinta decorativa, que puede coserse o pegarse a un dobladillo.

6) El fleco se confecciona con hebras sueltas atadas a un soporte decorativo, que puede coserse o pegarse a un dobladillo.

7) Los listones se pueden obtener en una amplia gama de colores y anchos para cualquier uso decorativo. El popotillo es una cinta fina, de tejido angosto y acordonado. El de satén es un tejido suave con brillo. El de terciopelo tiene un tejido de pelillo tupido por un lado. El de tafeta es un listón brillante con cierta rigidez y un acabado liso, en cuadros o tipo moaré. Los listones se cosen, se pegan o se adhieren a la superficie.

8) La trencilla es un galón angosto decorativo, trenzado con diseño de lazadas o espirales en uno o dos colores que se usa para cubrir las costuras y orillas cortadas. Se puede coser o pegar en su lugar.

9) El galón trenzado tiene varias hileras de cordones trenzados juntos para formar una superficie ornamental plana. Se aplica en la superficie de una pieza, no en una costura, y puede pegarse, coserse o adherirse con calor.

10) Las cintas decorativas tienen dos orillas acabadas y se aplican del mismo modo que la trencilla.

SUGERENCIAS PARA ADORNAR

Anude un listón ancho y uno angosto en colores contrastantes formando un moño grande para usarlo como abrazadera, o como cintas para los cojines de las sillas.

Cosa o adhiera en las orillas de las cortinas trencillas o cintas. Cómprelas ya hechas o corte tiras de tela.

Utilice trencilla plana a los lados o en la parte inferior de las persianas enrollables.

Use listones angostos para atar colchonetas y cobertores.

Aplique cordón sedoso en las orillas de los almohadones.

Use cintas lisas y con ondas como adornos tradicionales en la orilla de las galerías estilo austriaco.

Aplique encaje en las orillas de los holanes para lograr un rápido dobladillo en edredones, rodapiés y manteles.

Cosa listón o tira bordada en las orillas de los cubrealmohadas de un solo color.

Pegue o cosa trencilla o cintas en las orillas de las pantallas.

Cosa seis alforzas al centro de la funda del edredón, planchando tres para cada lado. Cosa una hilera de tira bordada para las orillas exteriores de las alforzas y haga lo mismo con el cubrealmohada.

Tres maneras de fruncir los pliegues

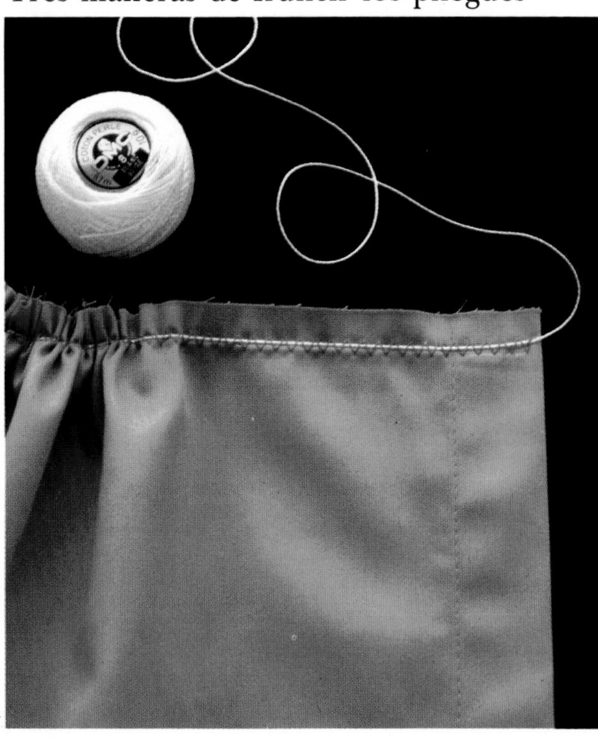

Zigzag. Cosa a 1 cm (3/8") de la orilla cortada por encima de un cordón delgado fuerte, hilaza para ganchillo o hilo dental. Haga zigzag ancho para que no prenda el cordón con las puntadas. Para fruncir, jale el cordón.

Accesorio plegador. Haga una tira de prueba y ajuste el plegador a la amplitud deseada. Mida la tira de prueba antes y después de coserla, para determinar el largo de tela que necesita. Antes de plegar las telas ligeras, haga zigzag a 1 cm (3/8") de la orilla con el zigzag más amplio para hacer que los dientes del plegador se puedan sujetar de algo.

Prensatelas plegador. 1) Este pie está diseñado para plegar cada puntada asegurando un plegado espaciado y con uniformidad. Ajuste para puntada corta o larga: a mayor largo de puntada, mayor pliegue. Mantenga uniforme la tensión.

2) Aumente la tensión sosteniendo el dedo índice detrás del prensatelas para obtener mayor plegado con este prensatelas. La tela se acumula hacia el dedo. Quite su dedo y repita hasta que pliegue toda la orilla.

Cómo coser y fijar un holán con cabezal

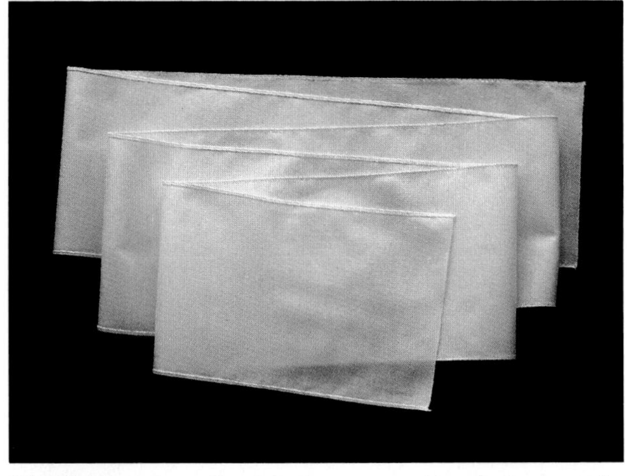

1) Dobladille ambas orillas de la tira que va a plegar, haciendo un dobladillo angosto doble o con máquina overlock (página 33). Utilice el pie para dobladillos angostos ajustado a 3 mm (1/8") de ancho.

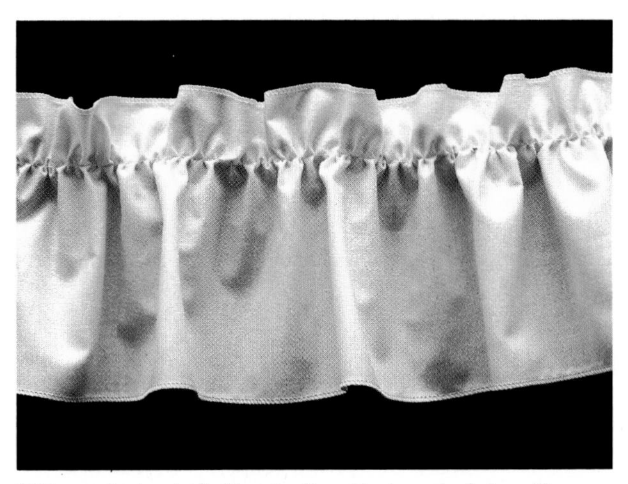

2) Frunza la tira del holán a la distancia deseada de la orilla superior, utilizando cualquiera de las técnicas en la página opuesta.

3) Haga overlock en la orilla y planche 1.3 cm (1/2") hacia el derecho. También puede voltear y coser un dobladillo doble de 6 mm (1/4") por el derecho de la orilla donde va a aplicar el holán.

4) Coloque el revés del holán sobre el derecho de la tela, haciendo coincidir la línea de pliegues sobre el dobladillo. Cosa el holán en su lugar y deje amplitud adicional en las esquinas.

Cómo aplicar un listón

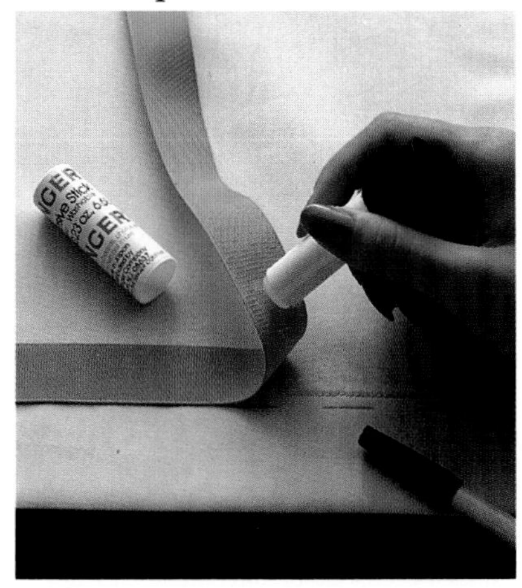

1) Señale el sitio en que fijará el adorno utilizando un marcador con tinta soluble o evanescente. Utilice lápiz adhesivo para sostener el adorno en su lugar.

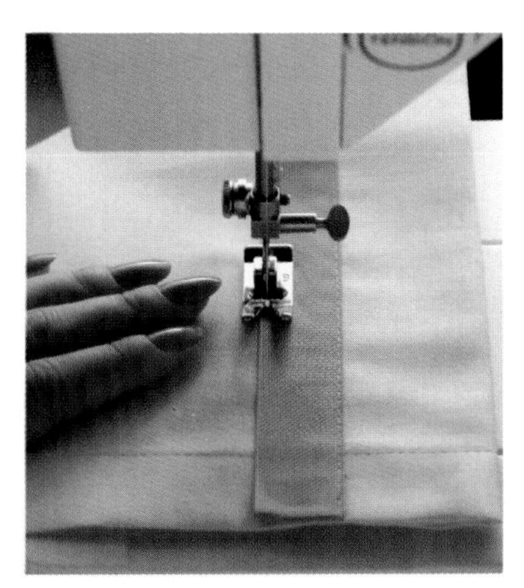

2) Cosa ambos lados del adorno de listón en la misma dirección, a fin de evitar que se formen arrugas diagonales.

Cómo aplicar cintas de pasamanería

Pegue el galón de adorno en su lugar cuando no sea conveniente coserlo.

Cómo hacer ingletes en una orilla exterior

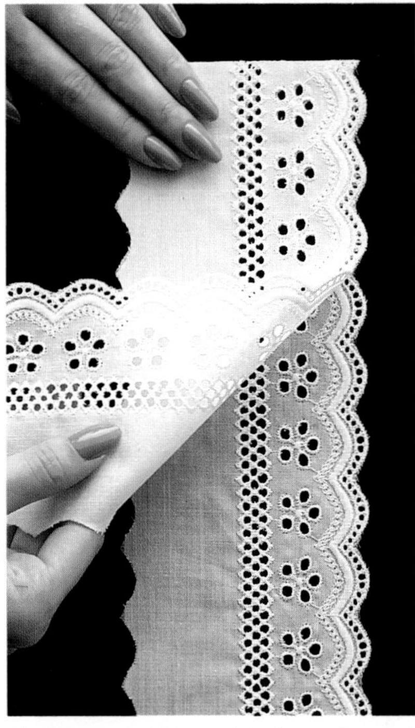

1) Coloque dos largos del adorno, juntando el lado derecho de ambos, con las orillas parejas. Doble el adorno de la parte superior en ángulo recto para formar una línea diagonal. Planche.

2) Hilvane con punto deslizado ambas piezas sobre el doblez diagonal. Desdoble.

3) Cosa sobre la línea que hilvanó, por el revés. Recorte las costuras y acabe las orillas.

Cómo usar un accesorio para hacer bies

1) Corte la tira de bies justo a 2.5 cm (1") para obtener una cinta de bies de 1.3 cm (1/2"). Corte cinta de 4.7 cm (1 7/8") para obtener cinta de 2.5 cm (1") o, para cinta de 5 cm (2"), corte una tira de 8.2 cm (3 1/4").

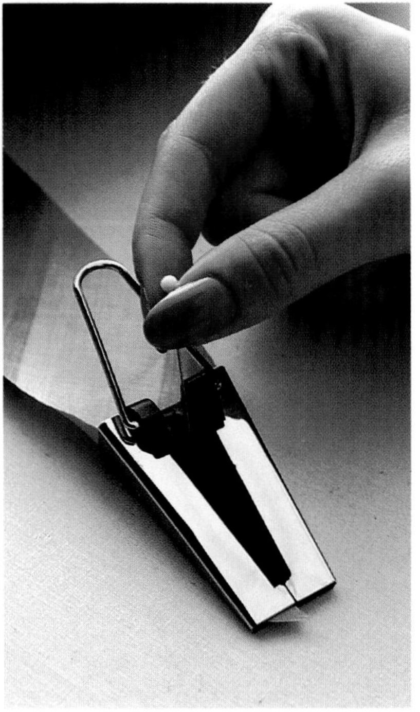

2) Recorte en punta un extremo de la tira para el bies y ensarte la punta por el extremo ancho del accesorio para bies, sacando la punta por el extremo angosto. Inserte un alfiler en la ranura para ayudar a sacar la punta. Prenda el extremo a la mesa de planchar.

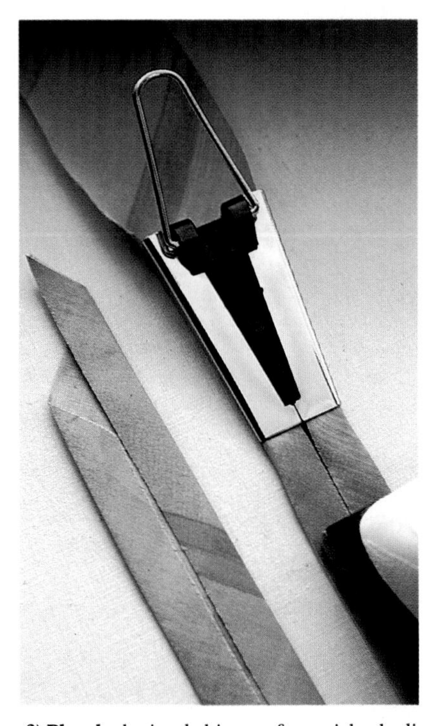

3) Planche la tira de bies conforme jala el aditamiento a lo largo de la tira. El accesorio para bies dobla automáticamente las orillas cortadas hacia el centro de la tira para formar una cinta uniforme de bies.

Rosetones de tela

Los rosetones de tela se utilizan como detalles decorativos en las esquinas de los festones, así como en abrazaderas, galerías y carpetas para mesa con aglobados. Para hacerlos se requiere una tela con cuerpo como calicó almidonado o moaré, ya que cuando se hacen en tela suave no lucen.

Las instrucciones que se dan a continuación sirven para un rosetón de 18 cm (7"). Si lo desea más pequeño, reduzca proporcionalmente las medidas de corte. El rosetón final tiene el ancho de la tira que se corta.

✂ Instrucciones para cortar

Corte una tira de tela de 18 cm (7") de ancho y 183 cm (72") de largo para un rosetón de 18 cm (7").

Cómo coser un rosetón de tela

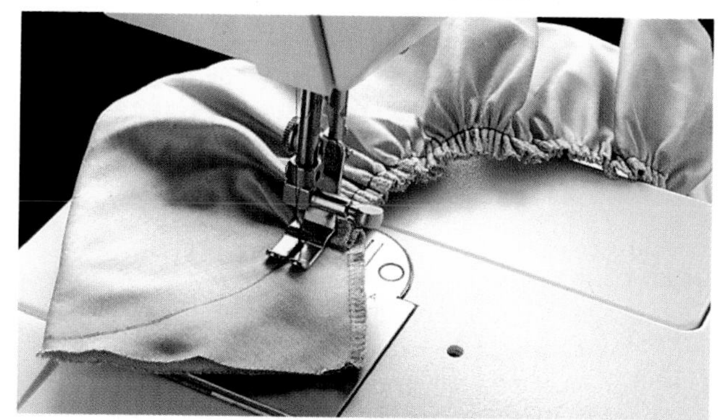

1) Doble la tira por la mitad a lo largo, juntando el *revés* de la tela. Pliegue las orillas cortadas de la tela cosiendo los extremos para redondear las esquinas. Recorte el sobrante de tela en las puntas.

2) Enrolle uno de los extremos redondeados muy apretado hacia el centro para formar el centro del rosetón.

3) Siga enrollando hasta el extremo opuesto, menos apretado, sujetando los pliegues con aguja e hilo.

4) Forme los "pétalos" con las manos. Sujete el rosetón en su sitio.

Ribetes acordonados decorativos

En las prendas de vestir se utilizan vivos para destacar un detalle de moda y, de la misma manera, en la decoración del hogar se utilizan los ribetes acordonados para definir o acabar las costuras. Estos ribetes acordonados son cordones cubiertos de tela, que se cosen en una costura para ofrecer resistencia adicional y un toque decorativo. En tapicería se utiliza el término acordonado y en la moda se utiliza ribete, aunque con frecuencia estos términos se intercambian.

Las tiras de tela para el acordonado se pueden cortar al bies o al hilo. Cuando se desea economizar tela, se cortan al hilo, y esta forma se prefiere para telas que no tienen un tejido apretado ya que el cordón forrado con bies se estira demasiado proporcionando un aspecto disparejo y ondulado.

Para telas firmes que deben conformarse alrededor de las curvas, el cordón forrado con bies resulta mejor que el forrado con tela al hilo porque no se arruga. Los acordonados con bies no se cortan verdaderamente al sesgo. Si las tiras se cortan a un ángulo menor de 45°, tendrán la flexibilidad de tiras al bies, requiriendo menos tela. Cuando se trata de rayas y cuadros, los cordones al bies no se casan.

Para determinar el ancho de la tira de tela, envuelva un trozo de papel o de tela alrededor del cordón y préndalo cubriendo el cordón. Corte a 1.3 cm (1/2") del alfiler. Mida el ancho y corte las tiras de esa medida.

El acordonado doble se pega en su lugar como detalle final para cubrir las costuras y orillas cortadas en artículos que no se cosen, como las orillas en que las dos telas se encuentran en una cabecera o pared acojinadas.

Tamaño del cordón

El de 4 mm (5/32") se usa generalmente para almohadones, cojines y costuras en las sobrecamas. Corte las tiras de tela de 3.8 cm (1 1/2") de ancho.

El de 7 mm (8/32") es ligeramente mayor y se usa para las mismas aplicaciones. El tamaño resulta adecuado para cordón fruncido. Corte la tira de 4.5 cm (1 3/4") de ancho.

El de 10 mm (12/32") es cordón grueso que se usa para abrazaderas y acabados decorativos. Corte la tira de tela de 9.5 cm (3 3/4") de ancho.

El de 17 mm (22/32") se usa para almohadones, abrazaderas y orillas en los manteles. Proporciona peso para que la caída de la parte inferior de cubrecamas y cobertores sea mejor. Corte la tira de tela de 11.5 cm (4 1/2") de ancho.

Cómo confeccionar y coser un ribete acordonado

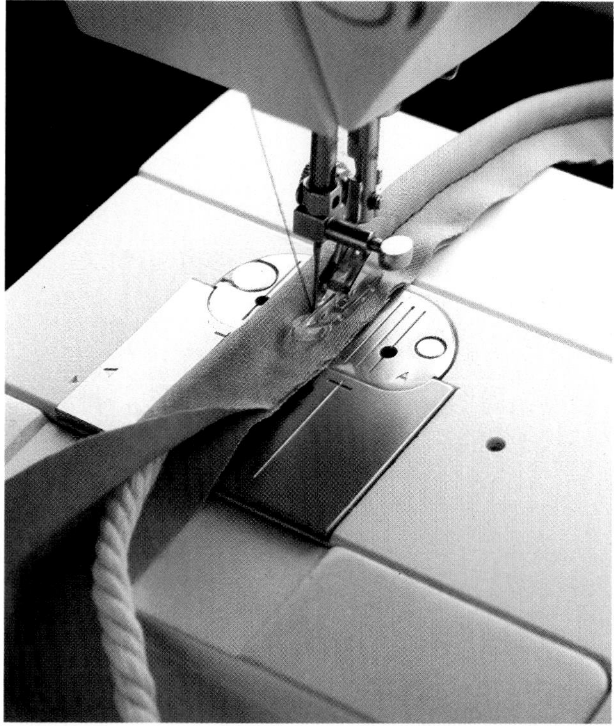

1) Centre el cordón por el *revés* de la tira. Doble la tira sobre el cordón, acomodando las orillas cortadas. Utilice un pie para pegar cierres a la derecha de la aguja e hilvane a máquina cerca del cordón.

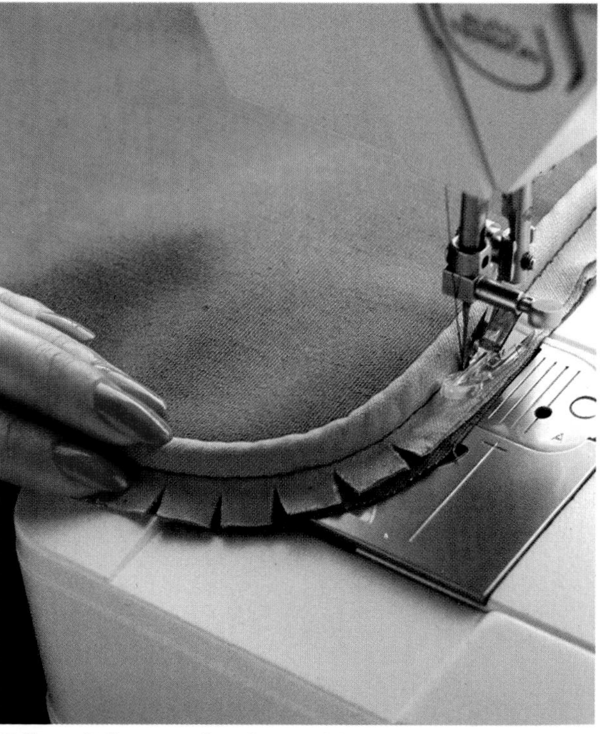

2) Cosa el ribete acordonado por el derecho, juntando las orillas cortadas. Empiece a coser a 5 cm (2") de la orilla del ribete, sobre las líneas del hilván. Para dar amplitud en las esquinas redondeadas, recorte las pestañas hasta la línea del hilván.

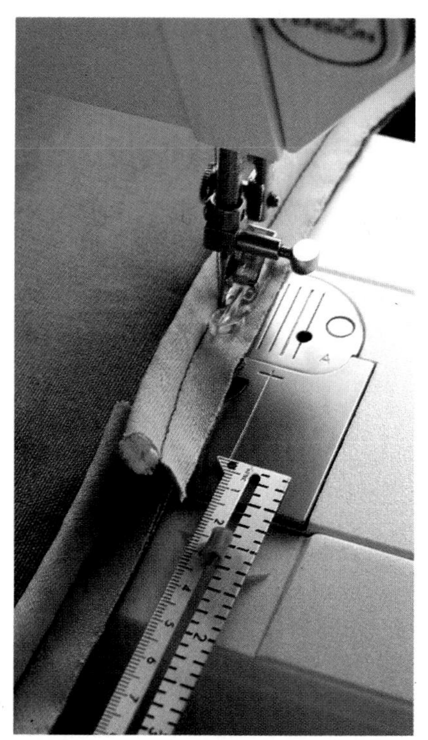

3) Deje de coser a 5 cm (2") del punto en que se encuentran los extremos del cordón. Deje la aguja en la tela, cortando un extremo del cordón para que se encime al otro extremo 2.5 cm (1").

4) Quite 2.5 cm (1") de puntadas de cada extremo del ribete acordonado. Recorte los extremos del cordón para que se encuentren.

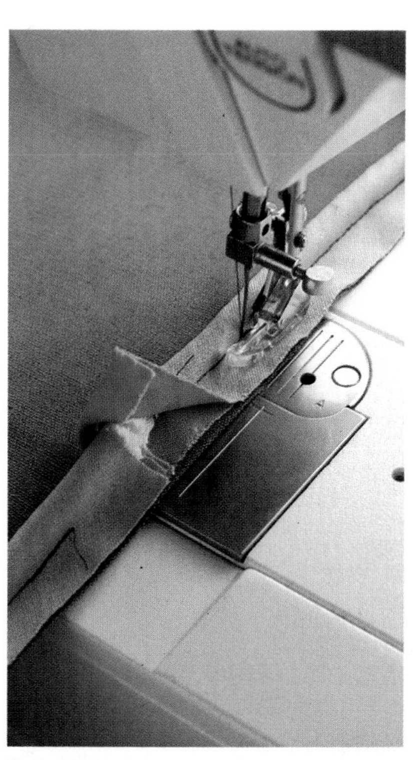

5) Doble hacia el revés del cordón 1.3 cm (1/2") de la tela que está encima. Colóquela sobre el extremo cortado y termine la costura.

Cómo hacer ribete acordonado plegado

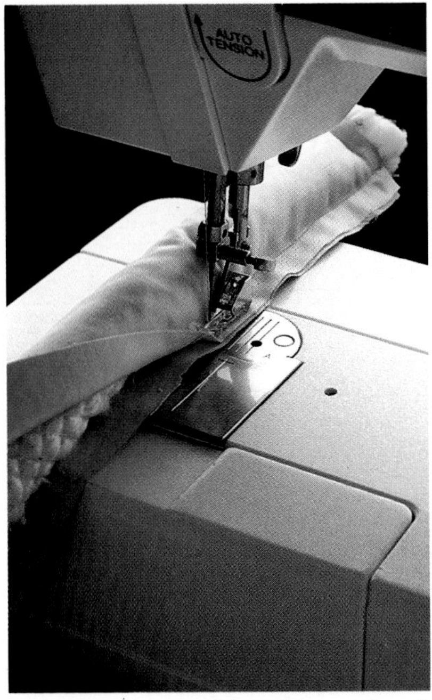

1) Cosa un extremo del cordón por el revés de la tira de tela. Doble la tira alrededor del cordón, juntando el *revés* de la tela, con las orillas cortadas juntas. Con el pie para cierres, cosa 15 cm (6"), acercándose al cordón pero sin apretarlo. Deje de coser con la aguja en la tela.

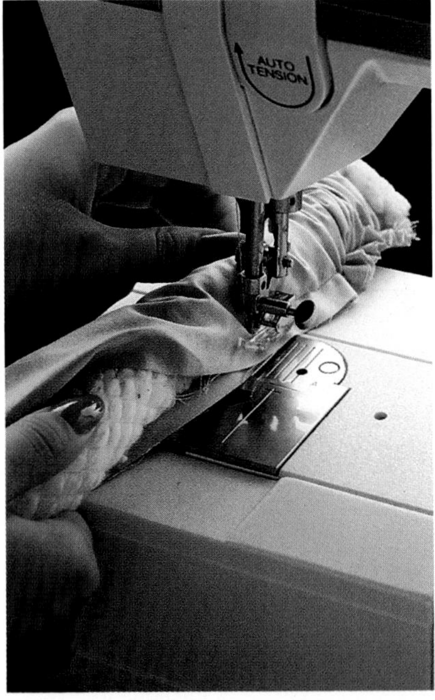

2) Levante el prensatelas y, mientras jala con suavidad el cordón, empuje la tira de tela hacia el extremo hasta que la tela tras la aguja esté fuertemente apretada. Siga cosiendo a espacios de 15 cm (6") hasta que tenga todo el cordón cubierto con tela plegada.

3) Inserte un alfiler sobre la tira de tela y el extremo del cordón para evitar que el cordón se meta en la tira de tela. Cosa el cordón plegado a la pieza uniendo los extremos como en los pasos 2 a 5 de la página 111.

Cómo forrar el cordón

1) Corte cordón de 2 veces el largo ya acabado del ribete acordonado. Corte la tira de tela 5 cm (2") más larga que el largo terminado y del ancho que aparece en la página 110. Doble la tira alrededor del cordón, por el *derecho* de la tela, juntando las orillas cortadas.

2) Utilice un pie para cierres para coser a lo largo del cordón, de un extremo de la tela al otro, sin acercarse demasiado al cordón. Haga un giro y cosa a través del cordón alrededor de 1.3 cm (1/2") de la orilla de la tela.

3) Sostenga la tela por el extremo cosido y jale la tela del extremo cubierto del cordón hacia el descubierto, volteando el tubo de tela con el derecho hacia afuera para cubrir el cordón. Corte el extremo cosido de la tela y el cordón sobrante.

Cómo hacer ribete acordonado doble

1) Coloque cordón de 4 mm (5/32") sobre el revés de una tira de tela de 7.5 cm (3"). Doble la tela sobre el cordón, dejando una pestaña de 1.3 cm (1/2"). Cosa con un pie para cierres junto al cordón.

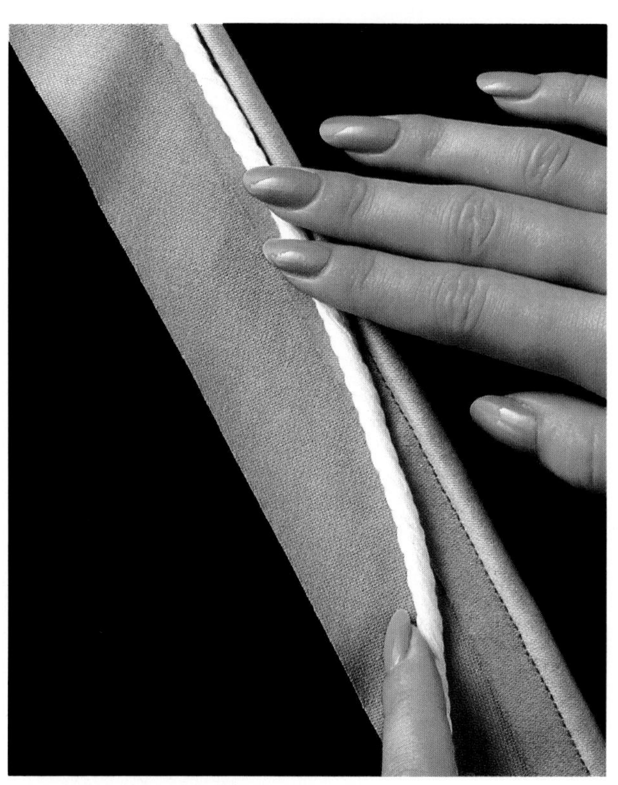

2) Acomode el segundo cordón junto al que acaba de coser y doble la tela sobre el segundo cordón.

3) Cosa entre los dos cordones sobre las puntadas anteriores. Afloje la tensión y use el pie de zigzag para deslizarse sobre el acordonado.

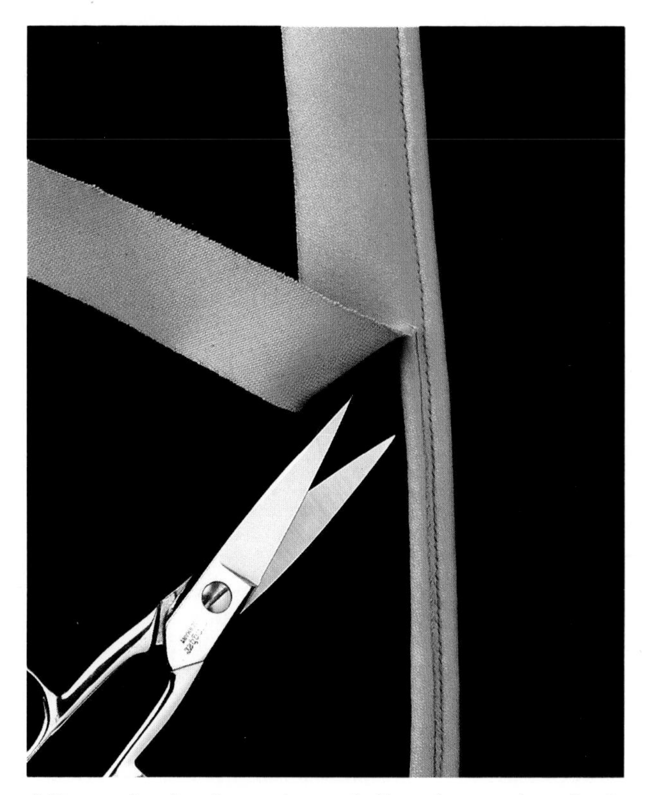

4) Recorte la tela sobrante junto a la línea de puntadas a fin de obtener una orilla nítida. La orilla cortada queda en la parte de atrás del cable acordonado ya terminado.

Almohadones de cajón con ribetes acordonados

Para renovar cualquier habitación en el hogar, confeccione fundas nuevas para los cojines sueltos en los sillones, bancas o asientos al pie de las ventanas. Los almohadones de cajón pueden ser duros o suaves, dependiendo del hule espuma que utilice, ya que éste se encuentra en diferentes grosores y densidades. El firme o medio se utiliza para asientos y el suave para cojines de respaldo. Envuelva el hule espuma con guata bondeada de poliéster para suavizar el aspecto de los almohadones de cajón.

El cierre se coloca en la parte trasera de la funda, extendiéndose a los lados alrededor de 10 cm (4") para facilitar el acomodo del cojín en la funda terminada. Si el almohadón tiene vista por tres lados, coloque el cierre únicamente en la parte posterior. Deberá usar un cierre de tapicería, que viene en largos mayores que los cierres de modista. La aletilla del cierre queda oculta en un espacio al final de la abertura del cierre y, al ocultarla, le da un toque de tapicería profesional al almohadón.

✂ Instrucciones para cortar

Corte las partes superior e inferior con 2.5 cm (1") más que el tamaño del cojín terminado para dejar material para las pestañas. La espuma se corta del mismo tamaño que las piezas inferior y superior para que ajuste con firmeza. Corte dos tiras para el cierre, cada una del largo de éste; cada tira mide la mitad del grosor del almohadón terminado más 2.5 cm (1") para pestañas de costura. Corte las tiras laterales del largo del frente del cojín más el doble del largo lateral del almohadón. Los ribetes decorativos se hacen con tiras de 3.8 cm (1½") de ancho, con un largo del doble de la circunferencia del cojín, más lo necesario para pestañas de costura.

MATERIALES NECESARIOS

Tela para decoración para las partes superior, inferior, tiras laterales y acordonado.

Guata bondeada de poliéster para envolver todo el almohadón.

Hule espuma de la densidad y grosor necesarios.

Cierre de tapicería con 20.5 cm (8") más de largo que la medida de la parte de atrás del almohadón.

Cordón de 4 mm (5/32") del doble de la circunferencia del almohadón, más lo necesario para pestañas.

Cómo hacer un almohadón de cajón

1) Mida el ancho y largo del área del almohadón para determinar el tamaño del cojín terminado. Calcule el alto del hule espuma.

2) Corte la tela y el hule espuma. Señale con gis el revés de las piezas de tela.

3) Planche hacia el revés una pestaña para costura de 1.3 cm (1/2") a lo largo de cada cinta del cierre. Coloque las orillas dobladas de las tiras a lo largo del centro de los dientes del cierre. Con un pie para pegar cierres, sobrehíle a 1 cm (3/8") de los dobleces.

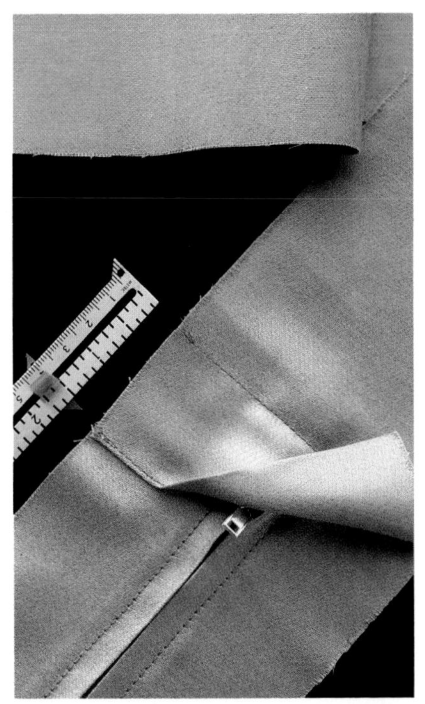

4) Planche hacia el revés 5 cm (2") en uno de los extremos cortos de las tiras de los costados del cojín. Encime la tira sobre las cintas del cierre para cubrir la jaladera del cierre. Cosa a través de todas las capas a 3.8 cm (1 1/2") de la orilla doblada de los costados. Si lo desea, haga un pespunte alrededor del doblez hasta 2.5 cm (1") del cierre centrado.

5) Cubra el cordón, página 111, paso 1. Utilizando el pie para cierres, cosa el ribete acordonado al lado derecho de las piezas superior e inferior. Deténgase a 2.5 cm (1") de la esquina haciendo un corte diagonal hasta la costura.

(Continúa en la página siguiente)

6) Haga cortes adicionales conforme sea necesario para que el cordón se acomode alrededor de las esquinas. Una las esquinas del ribete acordonado como se indica en los pasos 3 a 5, página 111.

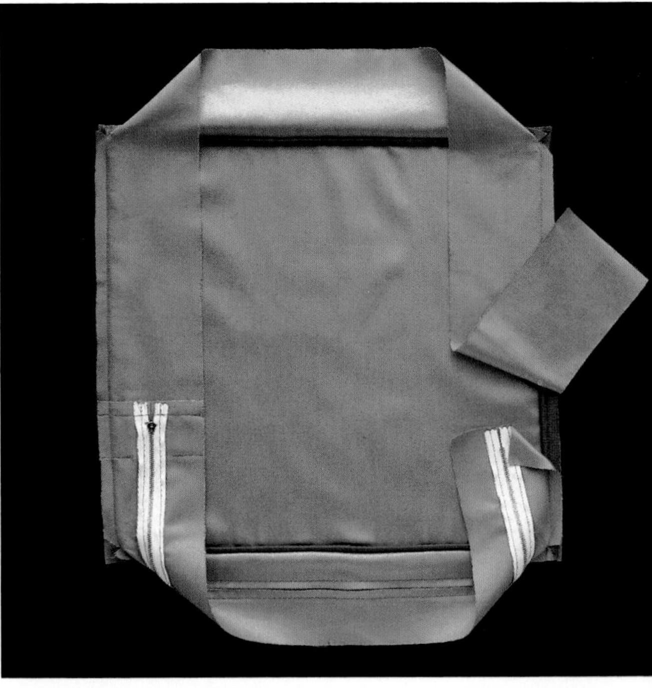

7) Coloque la tira lateral sobre la parte superior del almohadón, juntando el lado derecho de ambos. Centre el cierre en la orilla de atrás. Empiece a coser a 5 cm (2") del extremo de la tira lateral, sobre el ribete acordonado. Recorte las esquinas conforme se acerque cosiendo a ellas. Deje de coser 10 cm (4") antes del punto inicial.

10) Coloque la tira lateral y el fondo del cojín, juntando el derecho de ambos. Case los cortes en la tira lateral con las esquinas inferiores. Cosa. Voltee la cubierta dejando afuera el derecho.

11) Envuelva el cojín con la guata y dé unos pespuntes que la sujeten. Doble el cojín para meterlo en la cubierta. Envuélvalo en plástico para que se deslice con facilidad, si es necesario y, cuando esté dentro, quite el plástico.

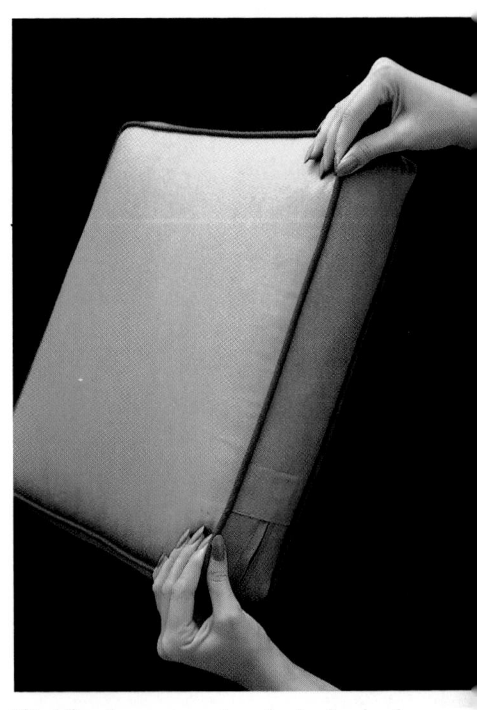

12) Alise la guata estirando la funda de adelante hacia atrás y corra el cierre para cerrar. Alise el almohadón del centro a las orillas. Estire el ribete acordonado de una esquina a otra para escuadrar el almohadón.

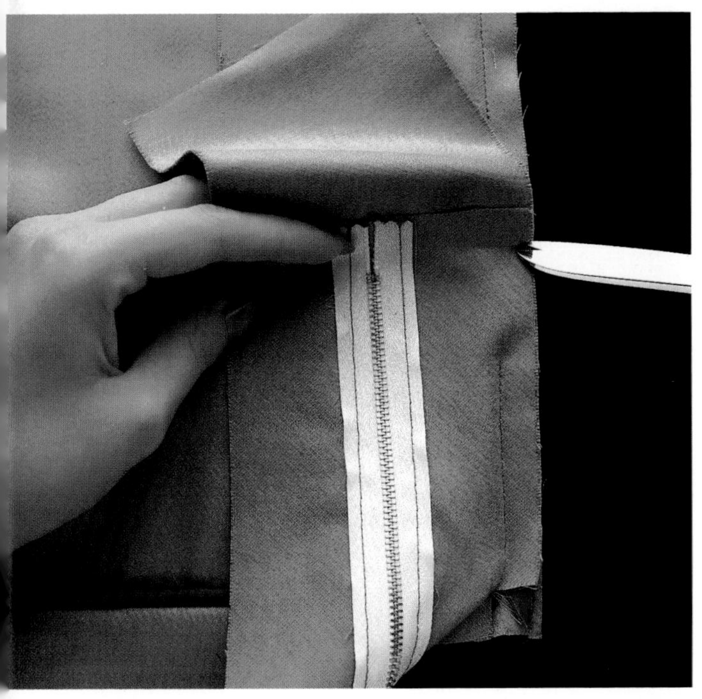

8) Haga muescas para señalar las pestañas de costura en los extremos de las tiras laterales. Cosa juntos los extremos de las tiras, recortando el sobrante de tela, y abra las costuras haciendo presión con los dedos. Acabe de coser la tira lateral a la parte superior del almohadón.

9) Doble la tira lateral y haga pequeñas marcas para señalar las esquinas inferiores, asegurándose de que las cuatro esquinas estén bien alineadas con las de la parte superior. Abra el cierre.

Otra manera de colocar el cierre. Acomode el cierre a lo largo de la parte trasera del almohadón, sin extenderlo a los otros dos lados, si el cojín va a tener tres vistas. La tira lateral a veces requiere formarla de varias piezas.

Cómo casar los estampados en un almohadón de cajón

1) Corte la parte superior del cojín, la tira lateral y la parte inferior casando los dibujos en las líneas de costura del frente. Para un cojín reversible, case el dibujo de la parte superior con el de la tira lateral al frente, continuando hacia la parte de atrás.

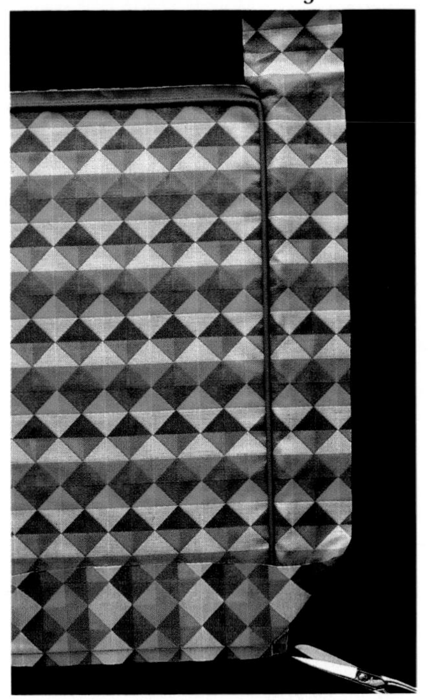

2) Haga cortes en las esquinas de la tira lateral. Una la tira lateral a la parte superior del cojín y a la inferior, cosiendo primero la orilla del frente. Cosa después los otros lados del cojín.

Carpeta con ondas abullonadas

Para darles un toque perfecto a los manteles redondos, hay que acomodarlos en pares. El de abajo debe llegar al piso y el de encima es más corto. Aunque no es muy importante el largo del de encima, al cortarlo a una tercera o dos terceras partes del suelo se obtiene una proporción agradable. Para una mesa estándar de 76 cm (30") de alto, la tela de encima debe llegar a 25.5 cm (10") del suelo, o a 51 cm (20") del piso.

Pliegue la parte superior en festones bien proporcionados para lograr una carpeta con ondas abullonadas. Para saber el número de ondas y la proporción que va a plegar de la orilla, coloque las telas sobre la mesa y prenda a diferentes alturas.

Un acabado rápido del dobladillo consiste en hacerlo con máquina de overlock, ya sea con puntada de satín o con un dobladillo enrollado. En una máquina convencional, utilice ribete de bies o cosa un dobladillo angosto con un pie para dobladillos.

MATERIALES NECESARIOS

Tela de decoración para la carpeta.

Tiras de bies de tul o cinta de bies del largo que vaya a plegar y tantas veces este largo como ondas vaya a formar.

Cordones angostos como cordón para persianas, del doble del largo del área que va a plegar más 2.5 cm (1"), tantas veces como ondas vaya a formar.

Cómo coser una carpeta con ondas abullonadas

1) Doble el mantel redondo ya dobladillado en cuatro partes, seis u ocho, dependiendo del número de ondas que desea. Planche el doblez en cada lugar que desee plegar y señale la altura del pliegue.

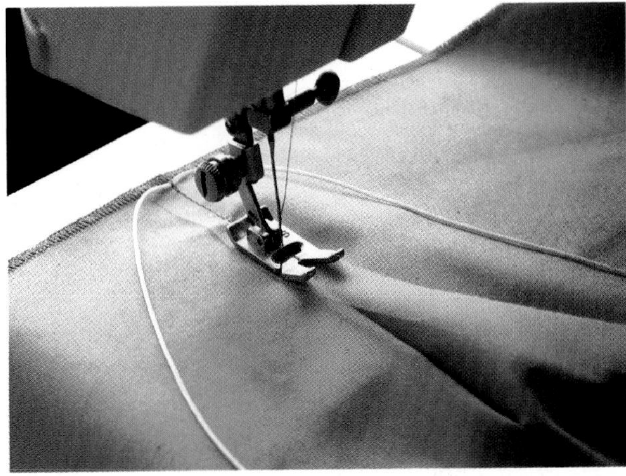

2) Prenda el cordón doblado en el dobladillo de cada doblez. Centre un bies de tul o una cinta de bies sobre el doblez y prenda. Cosa por el centro de la cinta, sujetando el cordón con puntadas en el dobladillo.

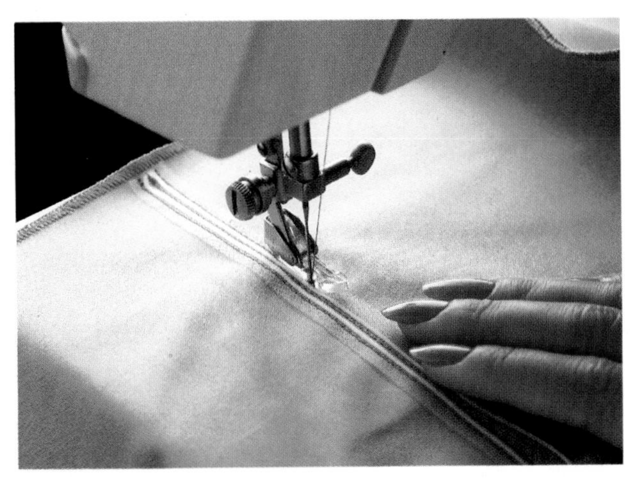

3) Acomode ambos lados del cordón junto a la costura central de la cinta. Con un pie para pegar cierres, cosa las orillas exteriores de la cinta para cubrir el cordón.

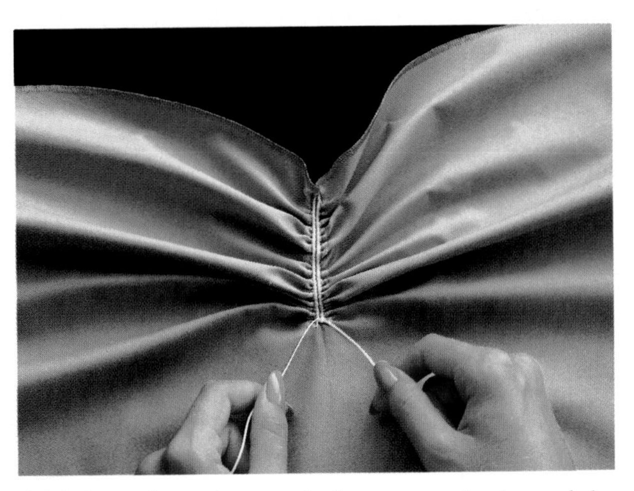

4) Jale los cordones para crear los festones u ondas. Acomode los pliegues y ate firmemente los extremos de los cordones. Meta los extremos del cordón en la onda, sin cortar. Para lavar o guardar la carpeta, puede soltar los pliegues.

Persianas verticales con inserciones de tela

Cuando se desea agregar un toque final práctico a una habitación contemporánea, las persianas verticales resultan muy eficaces. Para coordinar con los muros o telas y colores predominantes en una habitación, usted puede crear sus propias persianas verticales con un tipo especial de hoja. Estas persianas vienen con una orilla ranurada para poder insertarles tela o papel tapiz que armonice con su decoración. La técnica es sencilla y las persianas cuestan mucho menos que si las manda hacer a un especialista.

Las persianas verticales pueden hacerse a la medida, en las tiendas especializadas. El vendedor ayudará a determinar el tamaño adecuado y la cantidad necesaria de tela.

Seleccione una tela semiligera de tejido cerrado que no se deshilache, como algodón pulido, satén, calicó almidonado, o bien, lona estampada o tela para sábanas. Evite las telas con tejido diagonal o de rayas, ya que conviene tener presente que las persianas se traslapan distorsionando el estampado. No utilice telas gruesas de tapicería o telas de tejido abierto que no se pueden mantener al hilo. Si tiene duda acerca de lo adecuado de la tela, haga una tira de prueba para asegurarse de que entra por las ranuras. Para trabajar, requiere una superficie plana y amplia.

✂ Instrucciones para cortar

Corte la tela de 10 a 15 cm (4" a 6") más larga que el alto de la persiana. El ancho de la tela que necesita es igual al ancho de cada persiana por el número de hojas. Si va a necesitar más de un ancho de tela, case el diseño en todos los anchos.

Corte tiras de cinta adhesiva a presión de 2.5 a 5 cm (1" a 2") más largo que las hojas de la persiana.

MATERIALES NECESARIOS

Tela para decoración para las hojas de la persiana.

Persianas y varillas de montaje. Cinta adhesiva a presión.

Rodillo de hule; líquido para evitar el deshilachado.

Cómo insertar la tela en las hojas de las persianas

1) Acomode la tela planchada con el *revés* hacia arriba, sobre una superficie amplia y plana para trabajar. Trace una línea recta junto al orillo. Con ayuda de una regla T marque una línea transversal en la parte superior de la tela.

2) Quite el respaldo del papel adherible sensible a la presión en unos cuantos centímetros (pulgadas) y acomódelo con la línea señalada. Acabe de quitar el papel y oprima la cinta a la tela a todo lo largo de la tira. Use un rodillo de hule para adherir la tira al papel.

3) Coloque las tiras una junto a otra, dejando únicamente el espacio necesario para separarlas con una cuchilla rotatoria o tijeras. Oprima firmemente las tiras en su lugar con el rodillo.

4) Numere las tiras con lápiz para mantenerlas en orden por lo que respecta al dibujo. Señale la línea de corte en las tiras en ángulo recto al orillo.

5) Corte primero sobre la línea marcada en la parte superior con una cuchilla rotatoria o tijeras. Separe las tiras.

6) Inserte las tiras en las guías laterales de las hojas de las persianas. Recorte el sobrante de tela en la orilla inferior. La cinta de papel es más larga que las hojas para compensar el posible deshilachado.

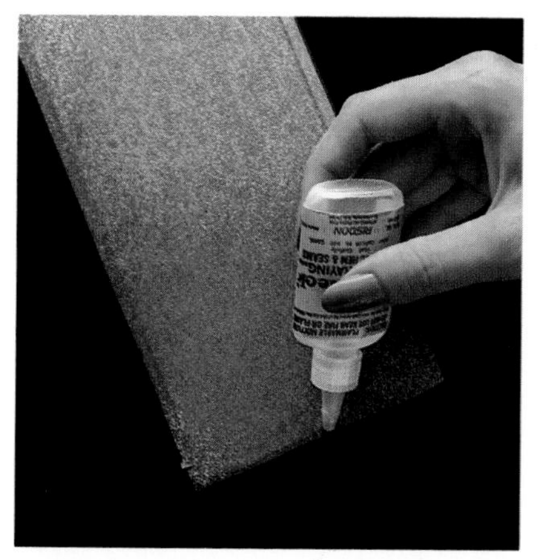

7) Evite el deshilachado de la tela en las orillas superior e inferior con una pequeña aplicación de líquido para prevenir el deshilachado.

8) Coloque las persianas, siguiendo las instrucciones del fabricante y el orden de la numeración que puso para que el dibujo de la tela se acomode bien a lo ancho de la ventana.

Biombos de tela

Los biombos de tela son decorativos y funcionales. Un biombo sencillo cubre instantáneamente una vista desagradable, llena una esquina vacía o separa un área para conversar o dormir. También es una manera elegante de lucir una tela poco común.

Los biombos decorativos plegables con espigas de madera de quitar y poner para colocar los lienzos de tela se consiguen en las tiendas que venden muebles sin terminar. Uno mismo puede hacer los marcos para los lienzos y ponerles las bisagras.

Si la tela no tiene derecho o revés aparente, como en los encajes y telas de rayas o cuadros, simplemente puede dobladillarla a los lados. Las telas que tienen derecho y revés visibles, se deben poner dobles o con forro contrastante para que ambos lados de la tela se vean bien.

✂ Instrucciones para cortar

Si va a dobladillar los lienzos, mida desde la parte superior de la espiga superior hasta la parte inferior de la espiga inferior; agregue la pestaña para las jaretas de las varillas y cabezales dobles, para la parte superior e inferior. La jareta debe medir el doble del diámetro de la espiga.

El ancho cortado del lienzo de tela depende de la tela. Por lo general, con 1½ veces el ancho será suficiente y no distorsiona los estampados. Agregue 5 cm (2") a cada lienzo para dobladillos laterales. Los estampados pequeños y las telas lisas pueden ponerse más amplios.

Si va a forrar el lienzo, mida desde la parte superior del cabezal de la parte alta hasta la inferior del de abajo. Agregue 2.5 cm (1") para pestañas de costura. Corte la tela decorativa y el forro del mismo tamaño.

MATERIALES NECESARIOS

Biombo plegable con espigas de quitar y poner para colocar la tela.

Tela para decoración y forro opcionales, según el tipo de tela.

Cómo coser un biombo de tela

1) Planche hacia el revés dobladillos laterales dobles de 1.3 cm (1/2"). En los extremos, voltee al revés 1.3 cm (1/2") y después el tanto para el cabezal y para la jareta. Cosa los dobladillos laterales y después las jaretas y cabezales.

2) Deslice las espigas en las jaretas y fije los lienzos al biombo.

Cómo coser un biombo de tela con forro

1) Prenda los costados de la tela decorativa y del forro colocándolos derecho frente a derecho, con las orillas parejas. Marque en el forro el cabezal y la abertura para la jareta, dejando margen para una costura de 1.3 cm (1/2") en las orillas superior e inferior.

2) Cosa los cuatro lados con una costura de 1.3 cm (1/2"), dejando aberturas para las jaretas superior e inferior en ambos lados del lienzo. Deje una abertura de 20.5 cm (8") en la orilla inferior para voltear el derecho hacia afuera.

3) Recorte las esquinas diagonalmente y planche las pestañas del forro hacia éste. Voltee el lienzo con el derecho hacia afuera. Planche las orillas.

4) Cosa las jaretas para la espiga en las orillas superior e inferior, haciendo un pespunte a través del lienzo en la cobertura. Haga un pespunte en la abertura inferior de 20.5 cm (8") para cerrarla. Meta las espigas en la jareta y coloque los lienzos en el biombo.

Tapicería de paredes

Una pared tapizada constituye un toque espectacular de acabado que agrega un aspecto suave y esculpido a una habitación. El acojinado absorbe los sonidos y cubre las imperfecciones.

Las telas con cuadros o rayas llaman la atención a un piso o techo que no esté a escuadra. Las rayas deben engraparse con mucho cuidado para que se conserven rectas. Es fácil engrapar la tela a la madera y paredes de yeso, pero las grapas no penetran los esquineros de metal. Antes de comenzar, quite las placas de los apagadores y las cubiertas de las clavijas. No quite las molduras ni los zoclos porque el acordonado doble cubre todas las orillas de tela.

✂ Instrucciones para cortar

Corte los largos de tela como se calculan en la tabla a la derecha. No quite los orillos a menos que se vean a través de la tela.

Mida alrededor de las puertas, ventanas y contornos del techo y piso para calcular la cantidad de acordonado doble necesario. También necesitará acordonado doble del piso al techo en cada esquina. Corte tiras de 7.5 cm (3") de ancho y del largo suficiente para lo que necesita.

MATERIALES NECESARIOS

Tela para decoración para tapizar las paredes.

Engrapadora de tapicería, grapas de 6 mm (1/4"), guata de poliéster de 1.5 cm (5/8") o espuma de 6 mm (1/4"), tachuelas, hojas de rasurar de un solo filo, pistola para pegamento caliente, pegamento blanco.

Cantidad necesaria de tela

Largo de corte	**cm (pulg.)**
Medida del techo al piso, más 7.5 cm (3")	=
Ancho de corte	
1) Ancho de la tela menos los orillos	=
2) Anchos de tela: ancho de cada pared dividido entre el ancho de la tela**	÷
Ribete acordonado	
1) Largo del ribete acordonado (vea instrucciones para cortar)	
2) Divida entre el ancho de la tela	÷
3) 2.5 cm (3") por el número de tiras	=
Tela necesaria	
1) Largo de corte (calculado antes)	
2) Anchos de tela para todas las paredes calculado antes)	×
3) Tela necesaria para todas las paredes	=
4) Tela para el ribete acordonado	+
5) Número de m (yd.) necesarios: ancho total necesario dividido entre 100 cm (36")	m (yd.)

* Calcule material adicional para los dibujos repetidos y no quite lo necesario para ventanas y puertas a menos que cubran la mayor parte de la pared.

** Aproxime al siguiente número entero.

Cómo tapizar una pared

1) Engrape la guata cada 15 cm (6"), dejando un espacio de 2.5 cm (1") entre la guata y la orilla del techo, esquinas, zoclo y molduras. Empalme las orillas. Corte la guata alrededor de los apagadores y contactos.

2) Cosa juntos los lienzos de tela, casando los dibujos cuidadosamente (páginas 30 y 31), trabaje por separado para cada pared. Evite colocar las costuras junto a una puerta o ventana.

3) Comience a colgar la tela desde arriba, volteando hacia la pared 1.3 cm (1/2") y distanciando las grapas una de otra, unos cuantos centímetros (pulg.). Empiece en una esquina en la que no sea muy importante la colocación. No corte alrededor de ventanas y puertas.

4) Fije la tela en las esquinas, estirando y jalandola de la esquina para que las grapas se cubran con el acordonado. Recorte el sobrante de tela. Comience con el siguiente lienzo por la esquina.

5) Engrape a lo largo del zoclo, jalando y alisando la tela para quitar todas las arrugas. Recorte el sobrante de tela a lo largo del zoclo con una navaja de rasurar de un solo filo.

6) Señale las esquinas exteriores de las ventanas y puertas con tachuelas. Corte las aberturas haciendo cortes diagonales en las esquinas. Voltee hacia dentro las orillas cortadas y engrape alrededor de la moldura.

7) Haga un ribete acordonado doble (página 113). Deslice pegamento caliente en longitudes de 30.5 cm (12") cada vez a lo largo de la costura en la parte trasera del ribete. Empuje con cuidado el ribete acordonado en su lugar para que cubra las grapas.

8) Presione el acordonado en las esquinas y alrededor de las coberturas. Utilice un desarmador para introducir el acordonado en las esquinas. El pegamento seca en aproximadamente un minuto. Después que seque, quite el sobrante.

9) Pegue la tela a las placas de los contactos y apagadores con pegamento blanco diluido en agua. Recorte alrededor de las aberturas. Voltee las orillas cortadas hacia atrás de la placa y péguelas.

Índice

A

Abrazadera con inserto plegado, 43
Abrazadera de cordón extragrande con forro plegado, 42
Abrazaderas, 41-43
 cómo coordinarlas con las orillas o rayas, 23
 con borlas, 105
 con cordón extragrueso plegado, 42
 con inserto plegado, 43
 en cortinas de mangas de Obispo, 49
 extragrandes, con cordón forrado, 41
 extragrandes, con nudo, 42
 extragrandes, retorcidas, 42
 para detener, 29
 trenzadas, 41
Abrazaderas extragrandes con ribete de cordón, 41-42
Abrazaderas trenzadas, 41
Abullonado doble, galería con, 53, 55
Acabados protectores, 19, 46
Accesorio para formar cintas de bies, 108
Accesorios,
 para cortinas y visillos, 28-29
Accesorios para cortinas, 28-29
Acetato, 17
Acojinada, cabecera, 91-93
Acomodo de cortinas con los dedos, 37, 40
Acomodo final de las cortinas, 40
Aditamento para plegar, 106
Adornos para toallas, 100-101
Aletilla triangular, cortina con, 50-51
Algodón, 16-18
Almohadones,
 con ribete, 23
 de cajón, 114-117
 limpieza de los, 19
 ver también: almohadones simulados
Almohadones de cajón, 114-117
Ambiente, cómo crear un, 14-15
Amplitud, cálculo de medidas para, 27
Anillos, para cortinas, 41-43

B

Bajocortinas, 26
 espacio para adornos en cabezales, 53
Bastilla de dos dobleces, 32-33, 39
Bastones para medias cortinas, 28
Bies de tul, 85, 119
Bies, tiras de, 84, 108
Biombo de tela, 122-123
Bocací, 17, 34-39, 43
Borde con lazos, 105
Borlas, abrazaderas con, 105
Borlas, orilla con, 105

C

Cabecera,
 acojinada, 91-93
Cabezales,
 con holanes, 107
 medidas para, 26-27
 ver también: labores específicas qué coser
Cabezales, decoración de, 53-69
 cómo medir para, 53
Cálculo de medidas, 22, 26, 35, 124
 ver también: medición
Calicó lustroso, 17, 109
Camas,
 cabecera acojinada, 90-93
 cómo medir, 72, 87
 fundas para edredón, 74-77, 82-83
 guardapolvos, 78-79, 86-87
 sobrecama con cubrealmohada simulado, 84-85
Carpeta con ondas abullonadas, 119
Cascadas, 53, 62
Celosías,
 inserciones de tela para, 120-121
Cenefas, 53
 acojinadas, 67-69
 cómo hacerlas, 67
 persianas enrollables al frente, 46-47
Cenefas acojinadas, 67-69
Cierres de cremallera,
 almohadones de cajón, 114-117
 funda plegada simulada, 80-81
 fundas para edredón, 75, 82-83
 tapicería, 114
Cinta adherible de ganchos y presillas, 99
Cinta de ganchos y presillas, 78-79, 99
Cintas decorativas, 105
Cocina, como cuarto de estar,
 planes de decoración para la, 10-11, 14
Colcha,
 ver: sobrecamas
Cómo casar dibujos,
 almohadones de cajón, 117
Cómo casar estampados, 30-31
Cómo cortar,
 cómo casar dibujos, 30-31
 rayas en la orilla y telas anchas, 22
 sábanas, 73
 tiras para acordonar, 110
 ver también: labores específicas para coser
Cómo coser siguiendo un plan, 10
Cómo encoger previamente la tela, 17, 100
Cómo escuadrar las esquinas,
 en las sábanas, 73
 ver también: ingletes
Cómo recoger, 29, 53
 cortinas plegadas, 34
Con bastas, funda para sofá con, 86, 88-89
Contenido de fibra, 17
Cordón plegado, 112
Cordones,
 abrazadera con frunces insertados, 43
 carpeta con ondas abullonadas, 119
 cómo forrarlos, 112
 guardapolvos con pliegues y simulados, 78-81
 retorcidos, 105
 sobrecama para sofá-cama, 86, 88-89
 tamaño de los, para forrarlos, 110
 tamaño extragrande, 41-42
 ver también: ribetes con cordones
Cordones forrados,
 abrazaderas, con, 41, 43
 almohadones de cajón con, 114-117
 cenefas acojinadas, 67-69
 cómo hacerlos y pegarlos, 111
 cubierta para sofá-cama con bastas, 86, 88-89
 decorativo, 110-113
 doble, 113
 forro de cordones, 112
 fruncidos, 112
 fundas para edredón con, 74-75, 77
 guardapolvo con pliegues y almohadón simulado, 78-81
 tamaño de los cordones para, 110
 tapizado de paredes, 124-125
Cordones retorcidos, 105
Correderas de los cortineros de rieles, 29
Cortina,
 abrazaderas para, 41-43
 cómo casar dibujos en, 30-31
 cómo medirla, 26-27
 con aletilla triangular, 50-51
 costuras y dobladillos, 32-33
 de manga de Obispo, 49
 para regadera, 94-97
 sujetada al centro, 44-45
Cortinas,
 abrazaderas para, 41-43
 accesorios para, 28-29
 acomodo final de, 40
 cambios en el largo de las, 19
 cómo medir las, 26-27
 con pliegues, 34-40
 costado, 29, 34, 53
 cuidado de, 19
 forro para, 19, 34-35, 39
 guías para, 29
 revés, 29, 36
 saliente, 29
 tabla para hacer los pliegues, 35
 traslape de, 29-36
Cortinas, ancho de, 26-27, 35
Cortinas de manga de Obispo, 49
Cortinas, largo y ancho, 26-27
Cortinas para baño, 94-97
Cortinas plegadas, 34-40
 cálculo de la tela, 35
 forrada, 39
 sin forro, 36-37
 tabla para hacer los pliegues, 35
Cortinas sujetadas al centro, 44-45
Cortinero para persiana enrollable, 46-47
Cortineros Continental(MR), 28, 47, 49, 53-56, 60-61
Cortineros de madera
 garfios para cortinas, 37
 sin acabar, 28

Cortineros de tensión, 28
Costura sencilla, 32
Costuras, 32-33
cómo medir para las, 27
Costuras con overlock, 32-33
Costuras francesas, 32
Cuartos de baño,
planes de decoración para, 11
qué coser para los, 72, 94-101
Cubiertas,
ver: sobrecamas

D

Decoración de ventanas, 26-29
abrazaderas, 41-43
accesorios para visillos y
cortinas, 28-29
acomodo final de las cortinas, 40
cómo casar estampados, 30-31
cómo medir, 26-27
cortinas con aletilla triangular, 50-51
cortinas de manga de Obispo, 49
cortinas plegadas, 34-40
cortinas sujetadas al centro, 44-45
costuras y dobladillos, 32-33
manejo de galerías, 53-69
persianas enrollables al frente, 46-47
ver también: cenefas, cortinas,
abrazaderas, galerías
Decoración, sugerencias para, 15
Decoradores, 13
Dibujos,
combinación de, 20-21
cómo casarlos en un almohadón
de cajón, 117
en el diseño, 13
medición para los, 27
tela necesaria para casarlos, 26
Dibujos repetidos, 27, 30
Diseñador, 13
como fuente de ideas, 11
sugerencias del, 13, 20
Diseño, aspectos del, 13
Dobladillos, 32-33
de cortinas, 26-27
Dobladillos con overlock, 32
Dobladillos laterales, 32
Doble cordón, 110, 113, 124-125
Dril, 18

E

Edredones,
ver: fundas para edredones
En disminución, galería, 60-61
Espigas, de madera,
galería aglobada, 56-57
galería estilo austriaco, 58-59
persiana enrollable al frente, 46-47
tela para persiana, 122-123
Esquemas de color,
cómo planificarlo, 10-11
como seleccionarlo, 13-15, 18
Esquinas,
cómo escuadrarlas en las sábanas, 73
en almohadones de cajón, 115-117
en inglete, 80-81, 105-108
en orillas exteriores, 108
redondeadas, 111
Estampados,
combinación de, 21
cómo casarlos, 30-31
estampados pequeños, 20
Estancia,
planes de decoración para la, 10, 14
Estilo ecléctico, 13
cómo mezclar dibujos, 20-21

F

Faldón para tocador, 98-99
Faldones plegados para lavabo
y tocador, 98-99
Festones, 53, 62-65
carpeta con ondas abullonadas, 119
cómo calcular el tamaño, 62
cómo unirlas a la tabla de montaje, 65
patrón de prueba para, 63
Flecos, 105
galería estilo austriaco, 58-59
Forro,
ver: labores específicas qué coser
Funda para edredón con holán, 76-77
Funda plegada simulada, 80-81
Fundas fingidas para almohadón,
con cenefa, 22
con pliegues, 80-81
sobrecama con, reversible, 84-85
Fundas para edredones, 74-77, 82-83
con holán, 76-77
con holán y ribete acordonado, 77
con ribete acordonado, 75
hechos con sábanas, 82-83
sábanas necesarias para, 73

G

Galería abullonada, 53-54
cortinas para regadera, 96
Galería abullonada con holán, 57
Galería aglobada, 56-57, 97
Galería en disminución con holán, 60-61
Galería estilo austriaco, 58-59
Galerías, 53
abullonada, 53-54, 96
aglobada, 56-57, 97
aglobada con holán, 57
con abullonado doble, 53, 55
con pastelones, 96
cortina para regadera, 94-95
en disminución, 60-61
estilo austriaco, 58-59
Galón, 105
Garfios para cortinas, 37-38
Guardapolvo,
cómo medir 72, 86-87
con pliegues, 78-79
para sofá-cama, 86-87
Guardapolvo plegado, 78-79
Guardapolvos plegados, 86-87
Guarnición drapeada, 53, 62-65

H

Hilo de nailón,
lanoso, 32
Hilos, conteo de, 16
en telas de vestir, 17
Holán de la misma tela,
fundas para edredón, 74, 76-77
Holanes,
cabezal para, 107
cómo plegarlos, 106-107
Holanes para cama,
ver: guardapolvos

I

Inglete,
adorno de, 105
con pliegues, funda simulada,
80-81
orillas exteriores con, 108
rayas con, 22-23
Inserciones de tela en persianas
verticales, 120-121
Instrucción
como aspecto del diseño, 13

J

Jaretas,
ver: varillas para cortinero
Jaretas para varillas,
cómo medir para las, 26-27
ver también: labores específicas
qué coser

L

Laminados para acolchado,
almohadón de cajón, 114-117
cabecera acojinada, 90-93
cenefas acojinadas, 67-69
sobrecama con bastas, 86-89
Largo de la ménsula de
las cortinas, 29
Largo de las cortinas,
cambios en el, 19
cómo calcularlo, 26-27, 35
Lavabos,
faldón para, 98-99
Lavado,
de telas, 19
Lavado en seco de la tela, 19
Línea,
como punto de diseño, 13
Lino, 16-17
Listón, 16
adorno para cortinas de
regadera, 94, 96
cálculo de los pliegues, 27
en adornos de toallas, 100-101
orillas, 105
Listones,
adornos con, 94, 96, 105
aplicación de, 107
cubierta con bastas para sofá-cama,
86, 88-89
toallas adornadas con, 100-101
Lona, 18
Lotes de teñido, 18

M

Madera, espigas de,
ver: espigas
Medición,
cenefas acojinadas, 67
cortineros transversales
convencionales, 29
de ventanas, 26-27
dimensiones de la cama, 72
galerías, cómo decorarlas, 53
marco del sofá-cama, 87
para ribetes con cordón, 110
ver también: labores específicas
qué coser
Medición de ventanas, 26-27
Ménsulas de apoyo, 29
Mesa, cubierta abullonada para, 119
Monogramas, 101
Montaje,
ver: labores específicas
Muselina,
festones y guarniciones drapeadas, 62

O

Ondas, decoración con,
cómo ocultar costuras, 32
galerías, 53
Orilla enrollada, 32
Orillas, 105
Overlock, costuras con, 32-33

P

Papel delgado, para los
abullonados, 49
Paredes, tapizadas, 124-125
Pasamanería, adornos con, 105-109
Pastelones, galería con, 96
Persiana vertical con inserciones
de tela, 120-121
Persianas,
cenefas aplicadas, 23
enrollables al frente, 46-47
Persianas enrollables al frente,
46-47
Persianas verticales con inserciones
de tela, 120-121
Placas de apagador, cubiertas de
tela para, 124-125
Placas de apagador, forros de tela
para, 124-125
Platos como,
cubierta con bastas para
sofá-cama, 88
guardapolvo plegado, 78
sobrecama con cubrealmohada
simulado, 84
Plegador,
para funda de edredón con
holán, 76-77
para galería abullonada, 57
para rosetón de tela, 109
para holanes, 106
Pliegues,
galería con pastelones, 96
guardapolvos y fundas simuladas
con tablones, 78-81
pliegues prendidos, 34-40
Poliéster, 16-17
Puntada de zigzag,
para holanes, 106

R

Rayadas, 21-23
con ingletes, 22-23
Rayón y acetato, 17
Recámara principal,
planes de decoración para
la, 11, 14
Recámaras,
planes de decoración para
las, 11, 14
qué coser para las, 72-93
Relleno,
ver: laminado de algodón
Repetición de dibujos en la
decoración de ventanas, 27, 30
Retenes, 29
Revés de la cortina, 29, 36
Ribete con puntada de satín, 32
Ribetes, 22-23, 80-81
ver: cordones, ribetes con cordón
Rodillos transversales,
convencionales, 28-29
de ornato sin anillos, 28
decorativos, 28
garfios de decoración para, 37
medición del largo, 29
Rosetones de tela, 109

S

Sábanas, 73
cómo escuadrar las esquinas
de las, 73
como festones de prueba, 62
para fundas de edredón, 73,
82-83
para guardapolvo, 78-79, 86-87
Satín antiguo, 17
Satín con urdimbre, 17
Sobrecama con cubrealmohada
simulado, 84-85
Sobrecamas,
cómo medirlas, 72-73
cubierta para sofá-cama, 86, 88-89
cubrealmohada simulado, 84-85
fundas para edredón, 74-77, 82-83
Sofás-cama, 86-89
Sugerencias para la decoración, 15

T

Tabla para montaje, 58, 62
Tablas para cálculo de medidas,
22, 26, 35, 124
Tapicería, cierres para, 114
Tapicería, tela para, 18
Tapizadas, paredes, 124-125
Técnicas de planificación, 10-11
Tela,
acabado resistente a las arrugas, 17
acabados protectores, 19
aspectos de costo, 16, 22
cálculo de medidas, 22, 26,
35, 124
cenefas, rayas y estilos
anchos, 22-23
combinación de dibujos, 20-21
contenido de fibras, 17
conteo de hilos en la, 16
cuidado de las, 19
lotes de teñido, 18
manejo de galerías con, 53
necesaria para cortinas, 26-27
para decoración, 16-19, 30
para decoración y para
ropa, 17
preencojido, 17
rosetones de, 109
selección de, 16-17
tapicería, 18
tiras para acordonado, 110
urdimbre, 16
usadas a lo ancho, 22, 67
ver también: labores específicas
qué coser
Tela, biombos de, 122-123
Tela para ropa, 17
Tela transparente, 16
cómo usarlas a lo ancho, 22, 26
Telas anchas, 22
Telas de decoración, 16-19, 30
ver también: tela
Telas para visillos, 16
Terciopelos de nailon, 18
Textura,
como aspecto del diseño, 13
Tira bordada,
ver: listón
Tira lateral para almohadón de
cajón, 23, 114-117
Toallas,
adornos para, 100, 101
Toques finales, 105-125
Trama de la tela, 16
largo de la cortina y, 19
Traslape, 29, 36
Trenza, 105, 107

U

Unidad y composición,
como aspecto del diseño, 13
Uso de la tela a lo ancho,
cenefas acojinadas, 67
medidas necesarias para
visillos, 26
telas anchas, 22

V

Varilla de extensión, 28, 44-45
Varilla transversal de decorador,
sin anillos, 28
garfios para cortina, 37
Varillas convencionales
transversales, 28
cortinas con pliegues, 34
Varillas para cortinas, 28-29
Vuelta de la cortina, 29